フィールド言語学者、巣ごもる。

吉岡乾

創元社

まえがき

日常には言語が溢れている。言語が溢れていないところは、人間のいないところだけだ。言語学者は言語を食い物にしている。言葉を選ばなければ。だがしかし、その事実を改めて大っぴらにしてしまうと、「危機言語が消滅したら、言語多様性が失われたら、マズいよね！」などと言語学者が幾ら声高に、意識高そうに訴えたところで、「我々の餌がなくなりそうだから、皆も気を付けて！」に聞こえてしまって白々しく響きそうだから、言葉遣いには気を配らなければならない。開けっ広げにそんな言いかたをするのは止そう。ちなみにここでの「我々」は聞き手（あなた）を包括していない。聞き手（あなた）を除外した集合である。

もとい、言語学者は言葉に意識を向けがちである。慭っか言語について考える思考基盤の知識を身に纏ってしまっているため、意図的にその意欲を封じ込めない限り、不図した瞬間、耳目に触れた言葉を、言語学的に矯めつ眇めつ愛で始めてしまったりするのが、言語学者の多数派である。僕はそう信じている。怠惰な生活態度に定評のありそうな僕ですらそうなんだもの、他の研究者たちはもっと熱心に物思いに耽っているに違いあるまい。

言語学メガネを着用すると、日常の暮らしの中に、隠された一面が伏流のように存在しているのが、さもAR（拡張現実）かの如くに見えてくるのだ。

本書は、フィールド言語学者である僕が、高尚さのかけらもなしに、そんなふうに言語学目線で漫ろに思った日々のアレコレを詰め込んだ一冊となっている。フィールド研究者を謳っていながら、世界規模の新型コロナウイルス感染症蔓延でフィールドに出られなくなり、テレワークも推奨されて、二〇二〇年の春以降は長らく「巣ごもり」をすることとなった。そしてそんな妙な事態になったものだから、時間の余裕ができるかもなどと勘違いして、筆のまにまに書き出したのである。

言語学は誤解されることの多い学問である。

小中高では学ぶ機会が与えられないし、大学に入ったからと言って全員が必須教養として学んだりはしない。けれども名前は素直に「言語についての学」なので、日々言語活動をしていて、言語に関して思うところのある市井の人々は、自分の持つ言語に対する様々な悩みや願いや一家言を、この学問こそが解決してくれるに相違あるまいと信じてしまいがちなのではないだろうか。

学習している言語が巧く話せるようにならないいんだけど、何とかして欲しい。

コンビニや飲食店の店員が間違った言葉遣いをするのが許せない。

日本語とタミル語とは元々同じだったのだ。（断言）

「ひょんなことから」の「ひょん」の語源を、言語学者は教えてくれるだろう。

日本語は世界一難しいんですってね。

言語学者は何ヶ国語もべらべら喋る人種。

この漢字の由来を知りたいんだけど。

詩作をしているので、語彙力を伸ばす方法を知りたい。

然々云々エトセトラエトセトラなどなど。

言語学は、言語に関する現象なら何でも扱い得る。暴食にして雑食、悪食だって厭わないかも知れない。

だが、それは言語学を総覧すればの話であって、個々の言語学者が八面六臂に言語周りの森羅万象をスーパーコンピュータ宛らに分析して結論付ける魔法使いだという意味ではない。広大な言語学畑のどこでどんな農作物が育っているかを、総攬できる者なんてのも存在しない。自分の専門界隈と、関心の届いた範囲しか知らないのは、言語学に限らず、どんな学術分野でも、非学術分野でも同じ話だ。言語学者だけが際立って高い知能を持っている生物だなんてことはないのだから、当然だろう。

だけど、教科書や入門書といったものは、言っては何だが、堅苦しい。「言語学入門！」

みたいな看板を掲げられてしまうと、今風に言う敷居が高い感じがして、尻込みしてしまうのではないか。一歩踏み込んだが最後、言語学徒にならなければならない圧力が待ち構えているかも知れない恐ろしさが、「入門書」にはある。怪しげな洋館に肝試しに入ったら、途端に入口の扉が固く閉ざされて帰れなくなってしまうかも、といった、ありきたりホラー展開を予期して忌避してしまうのも無理はない。

そこで、だ。

このようにことあらば脱線し、あれよあれよと無駄話をする、微熱に浮かされたようにだらっとした語り口のエッセイで、こっそり言語学についての話をする書籍があっても良いのではないかと思う。心への負担が少ない、魘（うな）されない「隠れ入門書」である。読者諸氏の心的負担軽減のための便宜として、各節を（客観性の乏しい）小難しさ度に準じて並べてある。「読みながら慣れていってね」という構成だ。

いや、片鱗を見せるばかりで、体系的には教えてくれないから、門前までしか案内しないでいてくれているとも言える。おお、自画自讃だが、何て親切なんだろう。

そんな本書を読んでいただくにあたって、少しばかり、申し開きをしておきたい。

言語の話をする時に、例を提示しようと思うと、どうしても多くを列記したくなる。これは衒学（げんがく）的な振る舞いなのではなく、可能な限りあらゆる言語を平等に扱いたいという願望の表れなのだ。そんな、ちょっと調べればすぐに見付かるような借り物の知識を光らかして愉悦に浸れるほど、人間性を手放してはいない。

　言語学では全ての自然言語を平等に扱う。それを実際に例示などの場面で適えようとすると大変なことになってしまうので、紙幅の制限を念頭に、自制心もフル稼働させて、だけど言語のグループとかを考慮しつつ、できるだけ色々な文字表記の言語なんかも混ぜ込んで、多様さを知らしめたいんだぞという念を込めつつ、羅列しているのである。許して欲しい。とは言え、馴染み深い言語を例示したほうが理解が早そうな箇所では、理想より平易さを優先して、日本語や英語などといった、読者もそこそこ知っていそうな言語を挙げていたりもする。こちらの偏りも許されたい。

　本書ではあちらこちらに、言語の音声を表記するための記号が、特段の注釈もなく用いられている。曲がりなりにも研究者なので、可及的精確さを追求したい欲が発露してしまった。だが、読者の皆様がその記号が実際にどういう発音であるかを考える必要性はない。凡そ、同じ記号なら同じ音を示している。それだけ理解していただければ、それで構わない。ＩＰＡ（国際音声字母）を用いている部分に関しては、気になるかたは調べてみていただければ答え合わせができる。但し、ＩＰＡ以外の記号を用いている箇所もあるので、漫然とフィーリングで読み進めていただければと思う。別に、読了後にテストを実施したりもしないので、安心して欲しい。

できるだけ、肩の力を抜いてページを捲(めく)っていただけたら幸いである。

著者

目次

まえがき …… 002

ざっくり言語学マップ …… 012

一

言語学が何をして何をしないか —— 言語学とは何か —— 016

文法のない野蛮な言語を求めて —— 言語とは何か —— 023

語学挫折法 —— 語学 —— 029

喋る猫のファンタジー —— 音声学・生物学 —— 041

差別用語と言葉狩り　差別語・罵倒語・卑語・誹謗・中傷　052
僕は言葉　社会言語学・隠語・アイデンティティ　062

Ⅱ

日常をフィールド言語学する　フィールド言語学・個人語　078
【緊急】リモート調査チャレンジ　文字・フィールド調査　092
翻訳できないことば　意味論・翻訳・文化的背景　098
言語が単一起源ではない理由　歴史言語学・文字・生物学　113

淘汰されたプロの喩え話　成句・比喩・諺　121
無文字言語の表記法を編み出すには　文字・音韻論・文化的背景　132
例のあのお方　敬語・借用語・音韻論　149

III

どうして文法を嫌うのか　言語と文法　170
軽率に主語を言えとか言う人へ　主語と主題と主格　181

意味と空気　意味論・語用論　197
語とは何か　音韻論・形態論・統語論・意味論　208
ことばの考古学　比較言語学　225
日本語はこんなにも特殊だった　類型論　238
なくなりそうな日本のことば　方言と言語・危機言語　255
あとがき……268
言語解説／参考文献……274

ざっくり言語学マップ

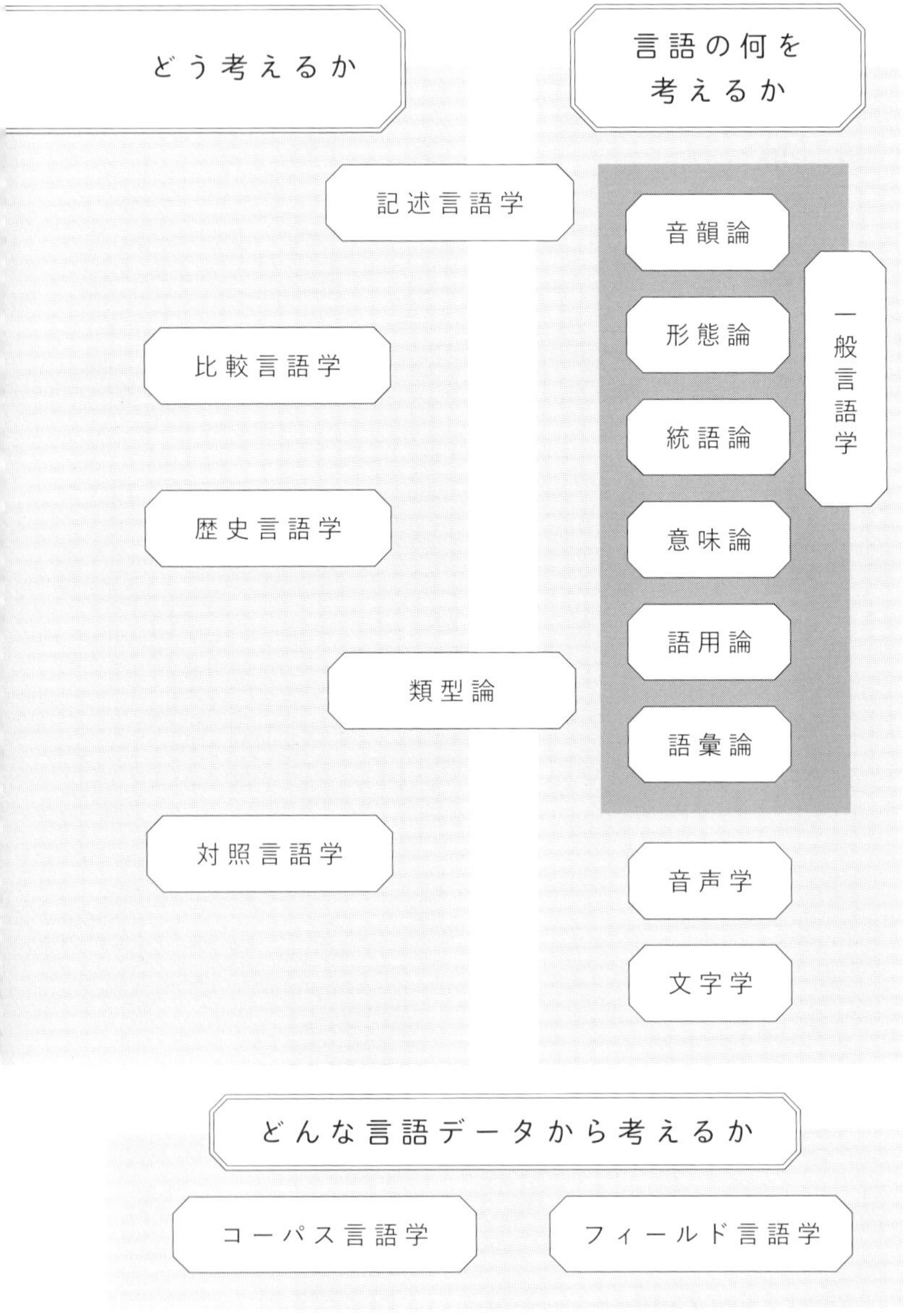

どう考えるか

記述言語学

比較言語学

歴史言語学

類型論

対照言語学

言語の何を考えるか

一般言語学

音韻論

形態論

統語論

意味論

語用論

語彙論

音声学

文字学

どんな言語データから考えるか

コーパス言語学

フィールド言語学

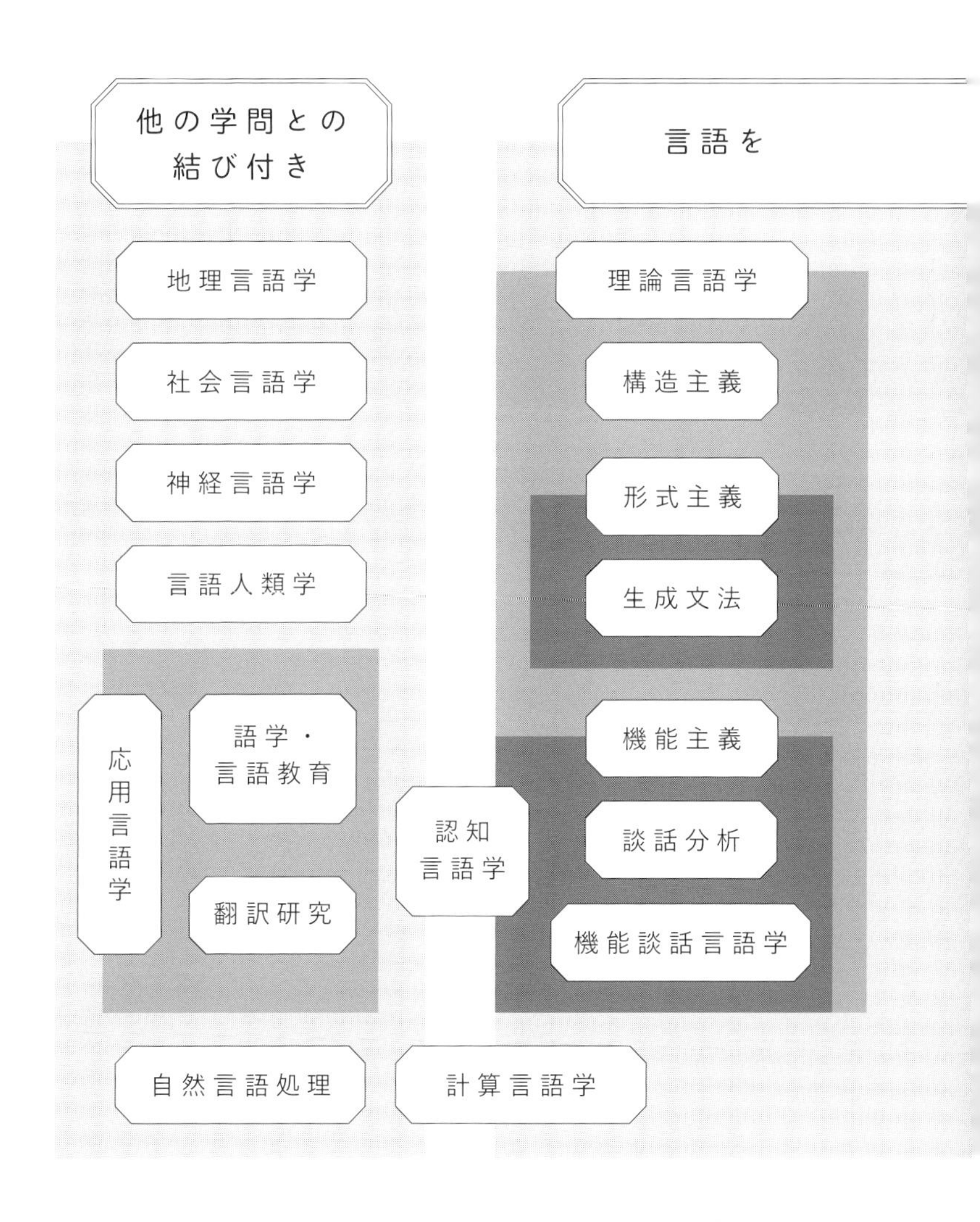

※これはざっくりとした模式図であって、必ずしもここに
描き切れているものではありませんし、ここに挙がっていない研究分野もあれば、
人によっては異なった位置付けを考える人もあります。
まぁ、こんな簡潔な図式化であらゆる要望は叶えられないよね、当然ながら。

1

言語学が何をして何をしないか

言語学とは何か

言語学は義務教育で習わない。

小中学校にも国語や英語といった科目はあるが、二〇二〇年現在、それらの授業で実施されているのは、日本語や英語という個別の言語に関する知識であったり、いかに「作者の気持ち」を推察するかであったり、作文のしかたであったりという学習に留まっている。学問としての言語学とは違う。そしてそれは、高校でもそうだ。

学校教育の範囲内で言えば、大学に入って初めて触れる可能性のある学問であるし、それゆえ、触れたことのない人も世の中にはわんさかいるはずである。けれども、言語に関して自分なりの(ものだと思っている)意見を抱えている人も、なぜだかたくさんいらっしゃる。誰もが言語を日常的に用いるためだろうか。

そういった方々のお持ちになっている意見やら持説やらは、何だかあんまり言語学的でなく、しかも特定の方向へと傾いていることが多い。あんまりそんなことを言うと、その手の方々のお叱りを受けてしまいそうで、恐れ多くて口外できないのだが、書いちゃう。それ、言語学ですか?

言語学がすること

言語学は言語を扱う。けれど、言語を扱えば全て言語学というわけではない。

令和にも突入した現代で言うところの言語学とは、「言語を研究対象とした科学（サイエンス）」のことである。

ここで言う科学とは何かと言うと、誰がやっても同じ状況下で同じ結論が導かれるような論理的解析に基づいて、データを証拠として仮説と推論とから妥当な見識を出す、そのためのより良い理論を追求する、そういった思考の体系のことである。科学者の寺田寅彦*1が大正期に「科学の研究に従う時にはブレーンが必要である。（…）苟且（かりそめ）にもハートが首を出してはならない。」（寺田［一九二二］一九六八：一六六）と言っていた通り、情緒とか、見えないものを見ようとしてする解釈とかを差し挟む余地はない。例えば記述言語学の場合は、個々の言語現象から言語規則を帰納して導出（し、記述）するのが主たる目的である。

難しく書いたが、つまり、ある言語現象を観察して得られたデータAを分析して、言語学者B氏が「これはXだからだ」と言い、言語学者C氏が「これはYだからだ」と言うということが、本来的、原理的にはない、ということである。但（ただ）し、実際には言語学と一言で言っても、様々な思想が併存しているので、そう巧く符合しないことも多い。けれども、言語学者同士であれば、データAが必要充分な量あれば、いずれ妥当な結論（XまたはY、またはZ）へと言語学界全体の結論として、収束していくものである（と良いんだけどなぁ）。

そんな素敵な夢を見つつ、各々の言語学者が抱え持っているのが言語学的知識や推論の体系であって、研究対象である言語を相手にそれを駆使して、あれこれと眺めたり腑分けしたり取っ組み合ったり宥(なだ)め賺(すか)したりと摸索しながら、懊悩(おうのう)した末に吐き出されるのが暫定的な研究成果となる。飽くまで暫定的だ。無限のデータを分析することはできないし、反証可能性が伴うのが科学なので、いずれそれを塗り替える論証が出て来る可能性はゼロにはできない。一方で、思索が吐き出されずに体内に残ると、痼(しこり)として気分を不快にし続ける。これもつらい。

言語学は科学であるので、推論をして一般化をしたり分析したりといったプロセスを含んでいる。そういった解析をすることのない、情報の収集をするだけの活動は、言語学の研究ではない。言語学研究と言うからには、集められた情報を言語学的知識のフィルターを通して「データ」に昇華し、解き明かさんと殴り掛からなければいけない。昆虫採集は生物学ではなくて趣味道楽に過ぎず、集めた虫を分析して初めて学問になるのと、同じに考えてもらえれば良い。単語を何万語集めて辞書を編纂しても、語りを蒐集(しゅうしゅう)して物語集を出版しても、それだけでは言語学ではない。[*2]

言語学がしないこと

言語学は言語を扱う。つまり、言語学は言語以外は扱えない。

某所で「食の言語学」というテーマで一つ講演を打ってくれと無茶な依頼をされて、非常に困窮した記憶が脳裡で鮮明に漂っている。さあ、食文化を言語学的に思考せよと言われても、それ自体は言語ではないのだ。結局まぁ、その難所はむにゃむにゃと乗り越えたのだが、最後までその提案者が、何をどう想定してそういうテーマにしたのか、てんで解らなかった。

僕が今所属している研究組織は、言語学が本流ではない団体である。そんな中で呼吸をしていると、「○○というテーマに関して、言語学的には何か言える?」と無邪気に訊かれることが間々ある。別に、難儀だからそれをやめてくれ、というわけではないので悪しからず。だが、余り期待もしないで欲しいとは思う。だって、その○○、言語じゃないじゃないですか、ってなる。そこで思考の八艘跳びを義経宛らに披露できたら見付物だが、そういう勿怪の幸いは実際には勿怪でも何でもなくて、能力に左右される術であり、到らず残念な僕は残念な帰結にしか到れないので、言った側も言われた側もしょんぼりするばかりなのである。言語学を万能視しないで欲しい。良いですか、「言語」学ですよ。

言語学者は母語やそれ以外の言語を流暢に話す、と信じられている嫌いもある。上に述べた通り、言語学は規則性を見出したりするのが目的であって、言語運用能力を磨くのは目指していない。勿論、言語学的知識を応用することで、言語習得の教材を巧く開発したりすることだって可能かも知れないが、それは言語学者の（メインの）仕事ではなく、教育する人、教材開発する人の仕事だろう。言語を学ぶのは文字通り、「語学」と呼ばれる。語学は学問ではなく、トレーニングである。運転教習所で交通ルールや技術こそ学べども、学問を学びはしませんよね。それと同じこと。語学では、ある言語のルール（文法）や話す技術、単語を学ぶけど、それによって体系的に思考する能力などを修得するわけではない。

但し、言語学の知識が語学の学習に役立たないかと言われれば、存分に役立つ。語学の授業で言語学的に正しい説明がされるとは限らないが、言語学の知識がデメリットとなるよりは、メリットとなる機会のほうが多いだろう。とは言え、そのメリットとて、序盤に学習効果をブーストできるかどうかみたいなもので、追々、言語学の知識を持たない人との間の有利不利は、しがない誤差の範囲に収まっていくだろう。その程度のものだ。

言語学で夢を見られるか

言語学は、言語に関して、科学的に扱える特定の範囲内でなら、無尽蔵に考察・研究ができる。扱う範囲を限定しているからこそ深く穿（うが）つ一貫した議論が可能なのであって、手広く何でも扱えば良いというものではない。そして、限られた範囲だと言いはしたが、今やその領域も途方に暮れるくらい広大だ。単独で言語学内の全ての領域、手法をカバーし尽くすことなど、無理だろう。

それなのに、言語学的でない考察を、言語学者の眼の届きにくい所で、さも言語学であるかのように大っぴらに披露する「研究者」が稀にある。「これとこれの単語がちょっと似ているから、即ち同じ系統の言語だ」だとか、「日本のこの地名は××語で解ける」だとか、残念ながら話にならない。音韻法則に例外はないのだし[*3]、こと単語は借用だって多いし、考古学・歴史学などの明かす物的証拠の裏付けもなしに、こじつけて作った壮大な夢物語に陶酔してしまっているだけなのである。もっとちゃんと現実を見て欲しい。

そういう人の夢想に中(あ)てられてしまう市民も少なからずいる。その人たちに罪はない。だけど、一言アドバイスがある。「ちょっとだけ慎重になりましょう」と。この本を含め、世に出ているあらゆる書籍が、ピンからキリまで全面的に正しいことを述べ連ねているわけではないことには、誰もが気付いていているはずである。だから、一冊の本とか、一人の著者がそう述べているからといって、すぐに鵜呑みにしたりしてはならないというのも、当然だろう。これはいわゆる、情報リテラシーというやつだ。情報への審美眼を育てるには、「ちょっと待てよ」の意識が肝要であろう。

これくらい面倒臭い話になっちゃうので、もういっそ、言語学を義務教育で教えてくれないかなぁ。

注釈

*【1】寺田寅彦（てらだ・とらひこ）、一八七八年生まれ一九三五年歿。元東京帝国大学理科大学教授、理化学研究所研究員、東京帝国大学地震研究所所員。専門は物理学。

*【2】但し、その基盤に言語学的研究や知識はあるかも知れない。なかったら、その辞書や物語集は、言語学で扱うためには信頼度が足りるものにならなさそうだ。

*【3】（雑に言うなと言われるかも知れませんが）雑に言えば、「言語Aから分化した言語Bと言語Cとがあった場合に、Aでxだった音がBでyに、Cでzになったという対応を想定するならば、Aでxを持っていた語全てが、Bでは同箇所にyを持ち、Cではそこにzを持つべきである。一部の語だけでもなければ、Cでzだったりwだったりもしない。例外と思（おぼ）しきものも、全て別立ての法則や、類推などによって説明されなければならない。即ち、例外はない。」といった内容の、青年文法学派【Junggrammatiker】の金言。

二〇二〇年六月二九日

この学派は一八七〇年代後半から、ドイツのライプツィヒ大学などで活躍した若手グループ。やがて、インド・ヨーロッパ語族の言語を素材にして、比較言語学という分野を確立していった。

文法のない野蛮な言語を求めて

言語とは何か

長いあいだ、僕は夜遅く床（とこ）に就くのだった。

だって大学生ってそういうものじゃないか。授業料を払っているのだから授業は関心のあるものを片っ端からパズルのように詰め込み、週五でみっちり出席。男子高出身で女子と話すの苦手なのに、男女比の圧倒的に後者偏重な大学で、行き場を求めサッカー部に入って、日々夕方から夜まで部活に勤しみ。大学の移転に伴って始まった独り暮らし生活では、誰の目も気にすることなく深夜までゲームができて。遅寝早起きで暮らしていたあの頃。若さに由来する体力任せで生きていた当時。

そんな中、パリッとしたスーツを着て齷齪（あくせく）とした徒労（つまり結果に結び付かない苦労）を強要される就職活動がしたくなくて、大学院への進学を考えた。強調するが、就職が嫌だったのではない。就職活動が嫌だったのだ。

大学院へ入るとなると、いよいよ研究が始まる。何をしたら良いだろうか。

大学生（学部）時代は、パキスタンの国語であるウルドゥー語を専攻するコースだったので、何も考えずにウルドゥー語関係で卒論なるものを書きはしたが、別段ウルドゥー語に思い入れがあるわけではなかった。それに、折角大学院に行こうって言うんだから、新しいことを始めたい。

ウルドゥー語は既に研究があって、研究者がいる。だからこそ、日本の大学にウルドゥー語の授業や専攻があるのだ。研究者といったらきっと頭が良いのだろう。だとしたら僕なんか到底敵いっこない。当時の僕はそう考えて、ウルドゥー語以外の道を摸索した。

けれども、英語ができない。高校では赤点の常連だったし、大学の副専攻語[*1]の授業で選択した英語も、常に「優・良・可・不可」の四段階評価で、ギリギリ「可」だった。

だったら、ウルドゥー語を用いて調査をすれば良いのではないだろうか。そうだ、そうしよう。つまり、（インド北部辺りでも構わないけど）パキスタンの言語だ。

そうと決めた僕は、鼻唄交じりで大学図書館へと行き、適当にフラフラと彷徨っては何冊かの本をペラペラと捲り、一つの言語に着目した。

ブルシャスキー語。

ブルシャスキー語と出合った

大学では語学の授業ばかり取っていて、言語学の授業をほとんど取っていなかった僕だったが、そんな中で珍しく「面白いぞ言語学」的なタイトルの講義を受講した記憶があった。

その授業を担当していたK先生が、講義中にこの言語の名前を挙げ、バットでも振るように指示棒を振りながら、「何でか知んねぇけどさ、こんな内陸、パキスタンの山奥によぉ、ポツンと孤立語がね、あるんだよ。どうしてなんだろうかねぇ」などと言っていた気がする。

そこで『言語学大辞典』第三巻[2]をどっこいしょと取り上げ、テーブルにゆっくりドスンと置いて、ペラペラと捲ってブルシャスキー語を探した。あった。八四四ページから八五〇ページまで、やたらと小難しそうな表が並んでいる間を、掻い潜るように説明書きが配されている。項目の末尾の参考文献を見る限り、これといって日本人による研究はなさそうだ。項目の著者である縄田鉄男先生[3]という方も、うっすらと浮かぶ記憶に寄れば、ペルシア語とかの専門家だった気がする。

これで良いか。

この時はまだ、パキスタンに行ったことなどもなく、ブルシャスキー語が話されている地域がどういったところであるか、微塵も知らず、想像だにしていなかった。研究者がいないのだから、当然ながら日本語で書かれた文法書などもなく、先行研究を読むのすら儘ならない艱難が着実にその先に待ち受けていることも、考えれば解りそうなものなのに、考えなしだった大学生の吉岡青年は片鱗も予期していなかった。驚くべき粗忽である。

ちなみに大学院では、そのK先生に師事した。

そして「文法のない言語」に出合った

時は下って今。

言語学に特段の関心を持たずに生きてきた多くの方々に向かって、パキスタンの山奥の言語を研究していると言うと、文法のない、未熟で野蛮な言語を求めてハンティングに行っている姿を想像するのだろうか、「へぇー、でも、そういった未開の地の言語って、文法なんてないんでしょう?」といった反応が稀に返って来ることがある。

答えはノーである。[*4]

それが言語である限り、必ず文法は存在する。

文法とは、例えばその言語で、どういう音[*5]を区別するかしないか、どういう風に音を並べるか並べないか、どうやって単語を作ったり変形させたりするか、どういう感じに文章を組み立てるかなどといったルールのことである。この他に、辞書のように語(どういう音の組み合わせがどういう意味の概念を指し示すかというペア)の、厖大(ぼうだい)な量のセットも言語には含まれる。その文法と辞書とを、ほとんど同じ具合に持っている他者の間で、言語は通じるのだ。「これはネコだ」と *gusé bišan bi*[*6] とでは、語順が一緒なだけなので、通じない。「だネコはこれ」と言われても、僕は理解してあげられない。

だから、複数名が使っている言語があった場合に、そこに文法がないわけがない。「文法のない言語」という表現自体、意味的に矛盾を孕んでいると言えるのだ。*7

ある言語がどんなに複雑そうで、文法が見出せなさそうであったとしても、必ず規則性はある。さもなければ、その言語の話者たちが話せることが説明できない。何かを学習して記憶するというのは、大変な負担だ。もしも文法がない言語なんてのがあったとしたら、その言語で言い表すことが可能な無限大の表現の全項目が、脳内辞書に記載されていなければならないということになる。「あれはネコだ」も「あれはネコじゃない」も「これはネコだ」も「ネコだ」も、それぞれが別個の単語で、全く異なる辞書項目だという話になる。それでやっていけるほど、ヒトのコミュニケーションは単純な情報のやり取りだけではない。鳥でもあるまいし。

なお、統語論（文を構成するために語句を並べるルール）だけを文法と呼ぶ人もあるが、それでも文法が全くない無法な言語は存在しないし、個人的には、心底、その用語用法はどうかと思っていることを付言しておきたいので付言しておく。

二〇二〇年六月二九日

注釈

＊【1】第二外国語（略して二外）とする大学も多いと思う。そういう学校ではきっと、「第一外国語」が英語で、それ以外の言語の授業、ということなんじゃないだろうか。西暦二〇〇〇年前後当時、僕の通っていた大学では、主専攻語として各語科の言語があり（僕の場合はウルドゥー語）、それ以外の必修科目として数言語から選択できる副専攻語の授業があった。更に、取りたければ取っても良い言語として、掻き集めてカウントすれば数十くらいにはなろうかという語学授業があった。

＊【2】亀井孝・河野六郎・千野栄一（編著）（一九九二）『言語学大辞典』第三巻（世界言語編 下-① ぬ―ほ）、東京：三省堂。

＊【3】縄田鉄男（なわた・てつお）、一九三六年生まれ二〇一三年歿。元九州大学教授にして、東京外国語大学名誉教授。専門は言語学、イラン語学。

＊【4】これは日本語の「ノー」だ。英語では否定疑問文（Xではないんでしょう?）に対して、その否定、即ち、肯定の返答（Xである）を返す際には、*no* ではなく、*yes* が用いられる。

＊【5】「音」は、音声言語の場合。手話言語の場合は、「手指の形、向き、表情、口の形、手の動き、位置」などが該当するだろうか。手話言語に関しては専門ではないので、ちょっと判らない。

＊【6】東ブルシャスキー語フンザ方言で「これはネコだ」の意。

＊【7】言語学用語で「非文」というものがある。これは、一般に鑑みて文法的ではない表現（文に限らない）のことを指し、例えば「*雨を降る」などといった表現は、非文である（「*」はここでは、非文であることを示す記号）。片や、「騒々しい無音」「四重性が先延ばしを飲む」「吾が背子が積鼻（たぶさき）にする円石（つぶれし）の吉野の山に氷魚（ひを）ぞ下がれる」など、意味をなさなかったり矛盾を持っていたりする表現であっても、文法的には正しいことがある。「文法のない言語」もこれに当たる。類例は、ジャバウォックの詩や、“colorless green”をググって欲しい。

語学挫折法

語学

二〇二〇年初春、コロナ禍でテレワークやリモートワークや在宅ワークが推奨される中、僕の勤務先である研究施設も、ご他聞に漏れず出勤禁止令が発出された。

必要最低限の資料類を自宅に持ち帰ったり、PDF化したりして、家でも普段通りの研究業務ができる環境をセットアップしたのだが、労働環境の変化は心に不思議な作用を齎すもので、それまでの研究生活では思わなかった（余計な）ことに手を出そうと閃いてしまったりもした。

語学だ。

家族が同じ空間にいる自宅では、普段通りに脳が働かない、ということもあったのかも知れない。通勤時間が削減された分の時間を、余所事に回そうと考えたのかも知れない。どういう動機が働いたのかは僕にも分からなかったが、調子を狂わせたまま僕は、今後の研究をする上で必要になるかも知れない新たな言語の学習を始めることにしたのだった。

とは言え、母語ではない言語を修得するのを最終目標とした、脳の筋トレ種目である語学である。生半可な気持ちでは、上達する前に挫けてしまいそうだ。気合をいれて行こうじゃないか。

ちゃんとした発音を身に付ける

僕がまず手を出したのはパシュトー語、それに次いで始めたのがダリー語だ。どちらもアフガニスタンなどで話されている音声言語で、僕の研究・調査している諸言語の西側のお隣さん、みたいなポジションにある。そして、両方とも、アフガニスタンの公用語でもある。更にそれから一週間も空けずに、ペルシア語とタジク語にも手を掛けるが、ひとまず今回はパシュトー語の話だけに絞ろう。

音声言語をやるとなったら、まずはやっぱり、音声をしっかりと極めるべきだろう。声を媒体として意思疎通を図るのが音声言語だから、当然である。

幸いなことに、パシュトー語に関してはそれなりの教材が市販されている。日本国内で探してもほとんど見付からなかったが、（苦手な）英語で著されたものなら、入門書や単語帳、文法書までもが出版されているので、日英の両言語で、この言語の参考書を手当たり次第に手に入れた。うっかり小さな辞書は同じものを二冊買ってしまったので、自宅用と研究室用とにしよう。

さて、それらの教材を開いて、大概は冒頭に用意されている、音声の解説を読み耽(ふけ)ってみた。

　うぅ〜ん……、説明が悪い！

　語学書や辞書といったものの音声の説明は、大概悪い。想定されている読者が音声学や言語学の専門家じゃないからだろうけど、「パシュトー語の kh は、ドイツ語の *ach* の中のガサガサした ch 音か、スペイン語の *jamás* の j の音」とか言われても、パシュトー語の前にドイツ語やスペイン語を学べと言うのかと、心底ビビる。語学好きには良かろうけど、語学嫌いには絶望ではないか。更に、音表記の一覧表に載っていない転写記号が実際には使われていたりして、頭がおかしくなりそうだ。説明書きに一切記載のない、その "ë" ってのは何者じゃい！——と、袖珍（しゅうちん）辞書であるその Awde & Sarwan (2002) を破損しないようにそっと床に叩き付けて叫びたくなる。中舌中央母音（なかじたちゅうおうぼいん） /ə/ のつもりなのかな？

　しかもパシュトー語は話されている地域が広く、そのため、方言差も大きい。文法的にも、語彙的にも、音声的にもだ。なのに参考書類には、どこの方言を扱っているのかが明記されていなかったりする。「標準語」[*1]が制定されていなかったり、実質的な「中央語」[*2]みたいなのがなかったりする言語では、こういった問題も付いて回ってしまう。日本語の教材とパシュトー語の教材とは、そういった側面からして相互に異質なのである。

　さて、困った。音声をしっかり習得してから文法を学ぼうと思ったのだが、音声に拘（こだわ）っていては第一歩が進めなさそうだぞ。

インターネット上でパシュトー語を聴けるページはあちこちにあるが、それぞれがどの方言かもよく分からない。どうしたら良いんだ。挫折してしまう。

毎日欠かさず続ける

巧い発音をして、しっかり聴き取りをするというステップ目標は、一旦脇へ置いておこう。考えてみたら僕は、謙遜とかではなくちょっとばかし耳が宜しくないのだ。そんな生理的な苦手克服を気長に待っていたら、学習前に言語が滅びてしまう。飽くまで保留ということで、ひとまずは実際の言語と取っ組み合ってみよう。

パシュトー語やダリー語は、文字のある言語だし、アフガニスタンで公用語という地位を勝ち取っているような言語なので、ウェブ上に言語素材がたくさんある。「語学書から始めないのか」と指摘をしたい人がいたら、うん、その気持ちも分かるけれども、残念ながらどちらも日本ではマイナーな言語なので、H水社さんとかが手頃な語学書を出してくれていたりもしないのだ。文法書が曾(かつ)てD学書林さんから出版されていても、すっかりめっきり絶版におなりあそばしていたりもする。だから、アクセスの容易なウェブ素材に挑むこととした。

そこで便利だと思ったのが、各言語のニュースサイト。例えばツィッターなんかでそういったサイトのアカウントをフォローしておけば、散発的に見出し文や短信が向こうから自動的にやって来る。後は、難しそうな文章は看過して、挑めそうなものから少しずつ、入門書やら辞書やらと取っ組み合いつつ、解読していくって寸法だ。短い文章を訳していって、どうにもつっかえて進めなくなったら諦める。また一時間後くらいには新しい「問題」が用意されるのだから、そういう割り切りもアリだろう。

そうこうしている内に、ウェブ上にも使い勝手はアレだがそれなりに使いようのありそうな辞書サイトも見付けた。よし、これなら行ける。毎日怠ることなく、三本の記事を……いや、贅沢は言わない、一本でも構わないから、日々、弛(たゆ)まずに言語学習に精を出すのだ！

そう思って、本格始動をしたコロナの春。

束の間の固い意志。

胃腸の弱い僕。

翌日、体調不良により仕事も手に着かず、仕事以外のことに使える余力もなく、早速「毎日励む」の原則を破ってしまった。

体調が悪くてできなかったのはしかたがない。そうは思いつつも、開始早々で蹉跌(さてつ)したという歴然とした事実が、再開する意欲を阻んでくる。読者の皆様は知らないかも知れないが、僕は僕が意志弱いことを重々承知している。あー、毎日続けるって決めたのになーと、そればっかりが気になる。

きっちりとした計画を立てるのは、挫折への第一歩だ。

本気になれる動機を作る

躓くあれこれをなかったことにしつつ、それでも語学は続けたい。そんな中で思い当たったのが、過去から脈々と無為に語り継がれている成功のコツ、「語学は動機が大事」である。

例えばＡさんは、国際結婚をするために頑張って言語Ｘを勉強し、メキメキと上達してめでたくＹ国人の恋人を見付け、果ては国際結婚の夢を叶えましたとさ、とか。例えばＢさんは、将来Ｚ国に移住せんがためにコツコツと言語Ｑを勉強し、瞬く間に上達して素晴らしきかなＺ国の隣のＲ国へと行き、ここでも多少は通じる言語Ｑを駆使しつつ、一定の速度で昇給すると噂の職Ｐを見付けて定住することになりましたとさ、とか。例えばＣさんはＪアニメーションに嵌まって言語Ｎをガツガツ学んで、今はそのＪ国でアニメーターになっています、とか。風聞で何度も聴いた成功譚と、その成功譚から導出された方法論だ。

つまり僕も、今からパシュトー語やらダリー語やらに関して、そういった動機を巧いこと後付けできれば、見る見る上達して行く行くは……意味が分からん！

だったらまずはパシュトー語よりも、苦手で必要で困っている英語で良いのでは？

そもそも、Ａさんの「国際結婚をしたい」って動機、微塵も理解できない。好きになった誰々と結婚しようとしたら、結果としてそれが国際結婚になるとかなら分かるけど、「夢は国際結婚」とか、人種差別根性由来成分満載の失礼な願望じゃないか。「恋人が欲しい」っていう願いと同じく、理解できない。

「言語を手早く習得したい？　なら、まずは恋人を作ったらどうだ？」などと冗談で言ってくる輩は、古今東西問わず出現する。何だ、恋人を作るって、水を三五リットルに炭素を二〇キログラム云々集めて、人体錬成でもしろと言うのか。もしくはこの身に二〇本以上も無駄生やししている肋骨の一本を素材に作れば良いのか。さもなければ考え得るのは失敬極まりない意味だけだぞ。

そもそも僕は既婚者だ。それに、将来がどうとか悠長に言っていられるほど残された時間は多くない。かと言って、コロナ禍で世界各国の門戸が鎖され気味になっている昨今、元から渡航が許可されていないアフガニスタンへ計画的にどのタイミングで行きたいなどと、口が裂けても発案できないのだから、動機付けのしようがなさそうに思える。言語ができたところで危なっかしいところへは行きたくないわけだし。

パシュトー語やダリー語でしかアクセスできない娯楽なんてあるだろうか。ジャパニメーショほにゃららだって、原作至上主義者でなければ字幕版だの吹き替え版だのが数々の言語で流通していて、言語Nができなくても楽しみようはある。やっぱり英語で良いじゃんって話になってもおかしくない。極東の島国Jで独自進化を遂げた文化の発信に用いられている言語Nですら、翻訳でかなりアクセスがフォローされているのに、大陸の内部で文化連続体かつ多言語社会の一端に堂々と存立している、文字こそあれ識字教育のそう徹底されていない言語が、一部ジャンルで排他的に使用される場面などあるだろうか。いや、ない。何か一つの明確な動機[*3]がないと、語学は成功しないのだろうか? ただ単に、その言語のことを知りたいとか、ただ語学の勉強をしたいだけなどという、ふわっとした動機では長続きしないのだろうか。もうダメだ、挫折だ。

語学継続法

語学を挫折するのは、かくも容易い。

僕のように弱々な心の持ち主だったら、確実に毎回挫折できそうである。

けれどもそんな僕だって、のらりくらりとウルドゥー語を学び、ぬんべんだらりとブルシャスキー語を話せるようになってきた。ではご立派な動機があって計画性があってネイティヴ顔負けの発音を放つかと言えば、全然そんなことはない。

人にはそれぞれに合ったやりかたがある。ここに書いたような方法論を駆使して、巧いこと言語の最速上達を勝ち取っていく人だってあるかも知れない。たった一つの発話でさえ言い間違えたくないという完璧主義者であっても、挫けず完璧を貫いて様々な言語を話せるようになっている人がいないとは断言できない。けれども、それは稀有なケースであって、我々常人が摸索するべき道ではないだろう。少なくとも僕には適していない。

我々は冒頭に書いた目標、即ち「母語ではない言語の修得」を、孜々汲々と目指して邁進するのではなく、薄目で眺めるべきものとして捕らえたほうが良いのではないか。何故ならその最終目標が、本当の意味では実現不能だからだ。

言語を修めるとは一体何だろうか。その言語で何から何まで全部話せるようになることだろうか。日本語や英語は珍しく、あらゆるジャンルの会話・議論を、同言語内で全うできる。その一方で、世界中の多くの、ほとんどの言語が、例えば高等教育の内容を話せなかったりといった「欠損」を持っている。そもそも用語などがなければ話せないし、用語を作ったところで話そうとする強い意志が複数名で共有されなければ、議論にはならない。

一歩譲って、ネイティヴが話せる全ての内容を話せるようになったら修得だろうか。ネイティヴとは誰だろう。個々人で話す話も話せる内容も異なる。日本人だからと言って、日本語でなされている全ての会話を聞いて理解することはできない。「硬直6フレだからブロれば確反」だとか、「折角てぇてぇ話なのに今日ずっとぐるってる。あと、ミュート助からない」などと言われても、何の話かピンと来ない日本語話者は多いだろう。僕は言語学の話は聴いて大体解るけど、人類学の話となるととんと解らない。どうしてそれだけの事例から、そんな一般化した結論が導けるのだろうと、大概の場合に悩むことになる。日本語でされた発表の、話が解らないからだ。

もう一歩譲って、日常会話が不自由なくできる程度まで習得したら、修得だとしようか。日常会話を舐めないで欲しい。寧ろ新聞や論文のほうが簡単だ。日常会話と言うのは、挨拶に始まり、その後は無限大の選択肢の中から話題がチョイスされて繰り広げられる、丁々発止の社会的行為である。言語能力以外も求められるし、突然始まった話題が何に関することだかを即座に理解する必要もある。母語以外でネイティヴと会話を成立させても、相手にしてみれば、意識的か無意識的かはともかくとして、異邦人に気を遣って分かりやすい表現で話したものかも知れない。

第二、第三の言語を身に付けたと思っている人は、一度、その言語でジョークを飛ばしてみてはどうだろうか。ちゃんとネイティヴを笑わせることはできるだろうか。愛想笑いはカウントするんじゃないぞ。

僕はウルドゥー語で稚拙な罵倒はできるけど、口喧嘩ですら勝つことは中々難しい。性格もあろうけど、ジョークなんて全然思い付かない。半年以上現地に連続して居住したことこそなかれ、気付いたら学び始めから二〇年以上も経っていて、人生の半分以上の付き合いになってしまっている言語ですら、そんな体たらくだ。ペラペラ話せてスラスラ書けてツルツル聞けてサクサク読めるのなんて、夢のまた夢だ。

どうせ挫折するのだから、語学に挑むのはやめよう。

もしくは、高尚な目標を掲げずに、まったりと言語を楽しもう。もしかしたら、その心のゆとりが行く行くは高みへの切符かも知れない。

二〇二〇年八月一八日〜一九日

注釈

*【1】日本でも、明治期などに「標準語」を制定しようという動きがあったが、戦後頃、「標準語」という名称は、標準 vs. 非標準という優劣に結び付きやすそうな規範意識の強い概念であり、それを用いるのは問題だとして、「共通語」が整備されることとなったはずだ。今では日本の共通語は、法的には定められていないが、何となく学校で教育されているし、例えば英語で「Standard Japanese（標準日本語）」などと呼ばれたりもしている。

同じように、例えば、いわゆる「ジプシー」と呼ばれていた人たちの言語であるロマニ語なども、方言が様々にある中で、どの方言とも異なる「標準語」が制定された。これは、共通語としても機能するし、各方言を知る際の足掛かり的な意味合いも持った、教育の際に規範として教える対象となる人工的な変種である。

*【2】政治・文化の唯一の中心地がなかったりすると「中央」が決まらず、「中央で人口が多いから仮にこれを最も標準的だと考えよう」みたいな動きも、「様々なバリエーションの中でもこの辺りが一番耳にするかも」みたいな偏りも生じづらい。例えば、曖昧模糊とした概念としての「関西弁」を考えてみると、政治の中心地はなさそうだが、マスメディアなどによる文化発信の中心としての、大阪市の辺りの言葉遣いが「最も関西弁っぽい」、デフォルト・イメージになりがちではないだろうか。京都や神戸や河内や奈良などの言葉遣いを考えるときに、「こういったパターンもあるね」という、大阪市らへんの方言をベースとしての捉えかたになっていないだろうか。知らんけど。

*【3】上に述べたものの他に、「教材類に多額を注ぎ込む」という動機付けの方法もあるが、うっかりその「多額」に一度耐えてしまう（つまり、注ぎ込んだのにヤル気が消沈してしまう）と、次の動機付けにはもっと多くの資金を溶かすことが必要となるし、経済的にも精神的にも逼迫していよいよ乗っ退きならなくなる可能性が否めないので、お奨めできない。スパルタな語学教室に登録し、中退でも酷い

目に遭わされる、みたいな状況もまた、動機となりえよう。

喋る猫のファンタジー

音声学・生物学

「大変危ないところを助けていただき、誠にありがとうございました。お怪我はございませんでしたか？」

命を救った猫がこんな風に流暢に喋ったら、夢か幻か映画[*1]を疑ったほうが良いだろう。

猫などの可愛い動物の映像に、勝手にヒトがアテレコを付けるTV番組を呪い潰したいくらいに嫌悪している僕なので、創作物での喋る猫にも目を光らせている。猫は黙っていても猫であることだけで尊く魅力的な生物なんだから、ヒトごときの言語を喋らせたりしては価値を損わせるだけである。驕（おご）ったヒト種の押し付けがましさは、由々しいばかりだ。

それでも猫が人語（じんご）を口走る事態は頻発する。

命を救おうとしたところで猫が話し掛けてきてしまったがために、却って事故に遭ってしまう少女だってあろう。そこから始まる甘く憂鬱な話は、現実ではなく漫画[*2]くらいに留めておいていただきたい。

猫の言語の研究の古今東西

フィクションの世界では、度々このように人語を喋る猫が登場する。いや猫に限らず、様々な動物に人語を喋る機会が与えられている。猫をピックアップしているのは単に、頻度の高さと僕の趣味とに由来しているだけだ。

人語を喋る猫は、畢竟（ひっきょう）するに、猫好きのヒトによる妄想の産物だろう。即ち、次の如くにである。

猫が何だか我々ヒトの言葉を解しているような素振りを見せている気がする。

つまり、猫はヒトの言葉を聞いて分かっている。

ならば、猫がヒトの言葉を知っている。

だから、猫がヒトの言葉を話す初手は、今この瞬間に訪れても不思議ではないんだニャー。

などといった寸法ではなかろうか。

世の中は広いし猫は可愛いので、猫の言語を学ぼうとする人類は後を絶たない。我が研究室や我が家の書棚を覗いてみても、途端に「猫語」（やそれに類するもの）の文字列がタイトルに浮かんでいる書籍が幾つも見付かった。何とそれは、自然とそこに居座っていたのである。飽くまで僕の蔵書の範囲内なので、他にも色々とあろうけれど、例えば、「猫語」関連の研究を古い順に並べれば、次のようなものがある。

・Champfleury (1869) *Les chats: Historie; Moeur; Observations; Anecdotes*. Paris: J. Rothschild.
・Marvin R. Clark (1895) *Pussy and Her Language. Including a Paper on the Wonderful Discovery of the Cat Language (by Alphonse Leon Grimaldi, F.R.S., etc.)*. New York: Marvin R. Clark.
・Mildred Moelk (1944) Vocalizing in the House-Cat; A Phonetic and Functional Study. *The American Journal of Psychology*, 57 (2). 184–205.

猫ならびに猫語の研究として萌芽期はこの辺りだろう。先の二者は研究と称しているものの、今の我々の眼で見てしまうと、随筆に近い感じを覚える。片や、第二次世界大戦中のメルク氏の論文まで来ると、学術誌に掲載されているだけあって、しっかりとした音声学的研究になっている。また、この辺りから、学術とは違った視点で猫の言葉に関心を寄せている書籍も見受けられるようになる。

・Paul Gallico (1964) *The Silent Miaow: a manual for kittens, strays, and homeless cats*. London: William Heinemann.（ポール・ギャリコ（一九九五）『猫語の教科書』、灰島かり（訳）、東京：筑摩書房。）

・Paul Gallico (1972) *Honourable Cat*. London: William Heinemann.（ポール・ギャリコ（二〇一三）『猫語のノート』、灰島かり（訳）、東京：筑摩書房。）
・Claire Bessant (2002) *The Cat Whisperer: The secret of how to talk to your cat*. New York: B.E.S Publishing.（クレア・ベサント（二〇一四）『ネコ学入門：猫言語・幼猫体験・尿スプレー』、三木直子（訳）、東京：築地書館。）

ポール・ギャリコはアメリカの小説家だが、猫語を論じてもいる。いや、実際には猫が著した本をギャリコ氏の名前で出している（権利関係は大丈夫なのだろうか？）。原題には特別、「猫語」だのといった文言は入っていないが、和訳で「猫語」となっているのでここではこれも猫語の関連書籍として挙げておこう。二〇〇二年には、猫愛護慈善団体の代表によって著された、「猫と話す人」（原題）という本が出た。但しここでは行動を読み解く話が主で、猫の音声言語については、色々述べた上で「まだよく解らない」と〆ている。

・庄司薫（一九八一）『ぼくが猫語を話せるわけ』、東京：中央公論社。
・伴田良輔（二〇〇二）『猫語練習帳』、東京：朝日出版社。

その辺りになると、二〇世紀から既に日本人も猫語を語り出している。猫語を語ると言っても、猫語で語るのではなく、猫語について語るのであるから、勘違いしないで欲しい。昨今はタイトルに「猫語」が入っているのは専ら実用書（？）が増えているが、庄司氏も伴田氏も作家である。残念ながら言語学者ではないので、言語学的に詳細な猫語の情報は得られない。と言うか、猫語を理解していると言い張っておられるが、本当なのだろうか。誰も彼も、自分だけは猫語を知っていると騙（かた）っているだけなのではないか。客観性が足りないぞ。

・Nina Puri (2011) *Langenscheidt Katze — Deutsch / Deutsch — Katze*. München and Wien: Langenscheidt.
・Susanne Schötz (2018) *Die geheime Sprache der Katzen*. Salzburg: Ecowin.（スザンヌ・シェッツ（二〇一九）『猫語のひみつ』、石田紀子（訳）、東京：ハーパーコリンズ・ジャパン。）

そんなことを考えていたら、ゲルマン圏が黙ってはいなかった。まずは二〇一一年に、辞書の出版で有名なドイツの出版社 Langenscheidt が、シリーズの一冊として、ドイツ語―猫語の辞書を上梓。その後、二〇一八年にはスウェーデンのルント大学で教鞭を執っている音声学者シェッツ氏が、「猫の秘密の言語」（原題）という書籍を出し、いよいよ猫語の現代的な研究が怒濤の追い上げで本格的になっている感じが否めないところである。とは言え、発声を全て言語扱いしていて、それは認識が甘いのではないかと思えたり、もしも猫語が言語

であったら猫社会が複数ある以上は必ず方言があるはずなので（伴田氏なんかは猫語を世界共通だと言い切っているが）、「猫語」などと大きく言わずに（オーストリア猫語などと）細分化すべきであろうと思ったりするわけで。いや、別に書評をしたいわけではないのだが。

ともあれ、ヒトですら猫の言語が解明できそうになっているようなのだから、当然、猫だってヒトの言語を理解し、喋りもするだろう。きっと、僕の眼前でも、近所の野良猫のクロニャンやサバニャンらが流暢な日本語を用いて語り掛けてくる日は近いはずだ。

人語を話す猫を科学する

そうだろうか？

原稿を書いていて、中見出し越しに日を跨いだら急に冷静になってしまった自分にビックリだ。

だが、確かに、しゅっと細身で四足歩行が基本姿勢のあの生物が、人語を話せるのかが疑問に思えてきた。同じ哺乳類であるとはいえ、身体構造的に無理なのではないか？

生物学が専門ではないので詳細は分からないが、ヒトが声高に音声を発するのには、ヒトの持つ咽喉（のど）の構造の特殊さが絡んでいたことかと記憶にある。二足歩行をし始めたためか否か、喉仏辺りの部位が進化の過程で下方へと降り、口を開いた時に見える一番奥の部分の空

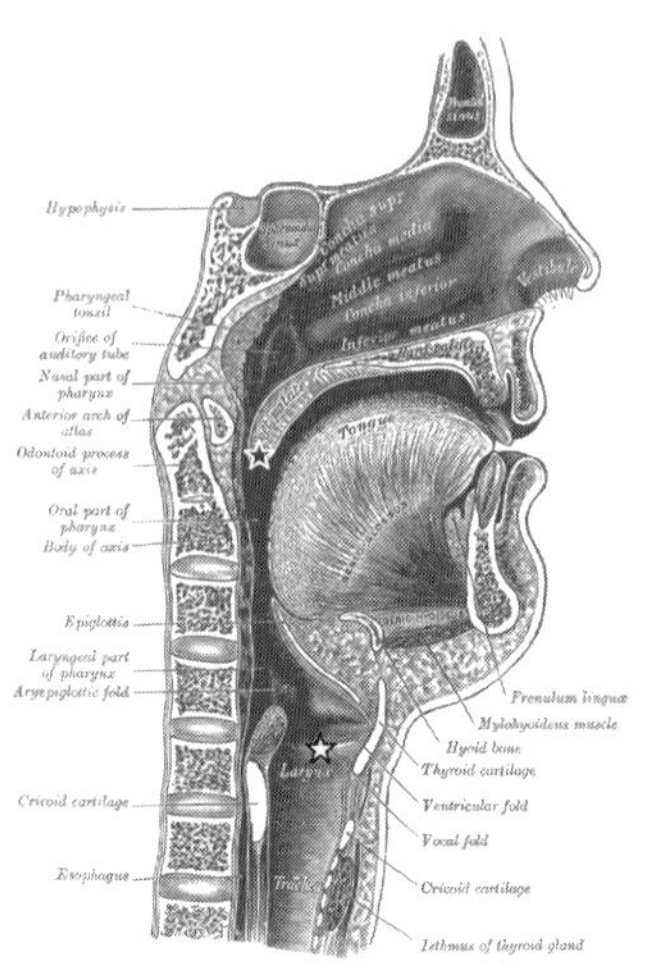

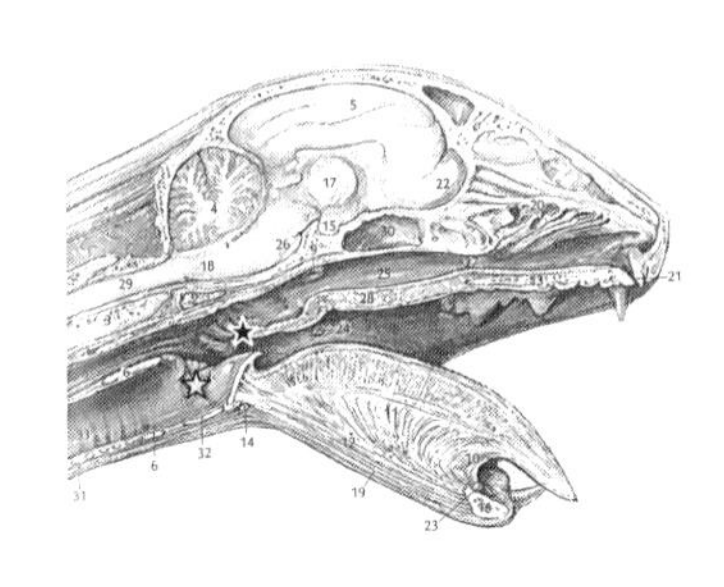

★が口蓋（上顎）の末端で、
☆が喉頭（声門）、
それらの間の空間が中咽頭。
ヒトは広く、ネコは狭い。

図１．ヒトとネコとの正中断面図
（左はGray 1918: 1111、右はGilbert 1975: 39を基にして、筆者が加工）

間（これを中咽頭(ちゅういんとう)と呼ぶ）が広まった。その結果、声帯の振動で生じる音の共鳴が強まって、音声が大きく聞こえるようになっているのではなかったか。

　ネコを見ると、上顎(うわあご)（口蓋(こうがい)）*3より上の上咽頭(じょういんとう)と、気管の入り口（喉頭(こうとう)）*4より下の下咽頭(かいんとう)との間にほとんど空間はなく、そのため、鼻による呼吸気が迷うことなく鼻の穴と気管とを一本道で通ることになっている（図1）。一方で、口から摂取した食物は、舌の付け根にある喉頭蓋(こうとうがい)と、口蓋とが手を組んで気管への道を塞いでくれるので、側道から立体交叉するルートを通って食道へとすんなり落ちる。従って、ネコは、鼻呼吸をしつつ口摂食が同時にできる。寧(むし)ろ、口呼吸は苦手だ。

　これを真似して、ヒトが頑張って呼吸しつつ嚥下(えんげ)しようとすると、誤って飲食物が肺を目指すルートに突入して、噎せてしまったり、肺炎の原因になったりしてしまう。僕なんかは喉頭蓋を甘やかして育てたせいで、意図せずに毎食一回くらいのペースで誤嚥して咳き込んでいる。

要するにヒトは、空気のルートと飲食物のルートとを平面交叉させるという多少の不便さと引き換えに、大きな声と、より複雑な音の区別の可能性を獲得したのである。

一方で、咽喉部分の構造上、恐らくネコには咽頭音、喉頭蓋音などは難しいのではないか。前方舌根性の母音弁別*5はできるだろうか。歯茎の小ささから、歯茎音〜硬口蓋音の区別も難しそうだ。ニャーン[ɲã̆]とかミャーン[mʲã̆]とか、鼻音ばかりが頻繁に観察されているのは、基本的に鼻呼吸であることが原因なのではないかとも考えてしまう。*6だとすると、口音自体が苦手という可能性もある。口腔の狭さから、ヒトほど母音の区別も多くはできなかろうと思う。

第一、確かネコは意図的に呼吸を止めたり再開したりというコントロールができないんじゃなかっただろうか。ヒトの音声言語はその辺りを自在にコントロールできないと巧いこと発音ができない。フィクションの喋る猫たちは、どうやってその技術を獲得したのだろう。突然変異でも、そんな変化はあり得るのだろうか。

戸川（二〇一五：二六一）などを見ると、イリオモテヤマネコよりもイエネコのほうが連続して鳴くことができる特性を持っていることが解る。発声の構造が進展してきているのだろうか。だとすると、いずれは猫が進化の先に言語を獲得する可能性は否めなさそうだ。[*7] だがしかし、それでもなお、先に人語の理解を完了しておいたとしても、一朝一夕で猫どもが語り出すことにはなるまい。僕が存命の間は少なくとも、黙して語らぬままに違いない。数々の作家が僥倖（ぎょうこう）にして得られた、猫の炯眼（けいがん）が眺める先にある実（まこと）しやかな見識が、ずっと猫の内に秘められ続ける時代は当分明けないのだ。猫に真実を聞いたところで、その問いを理解しつつ引っ掻いてすらくれないのも致しかたない。その釣れなさだって、猫の愛嬌を創発する一要因なのだから。

あー、やるせねぇニャー。

二〇二〇年一〇月一四日～一七日

注釈

*【1】参考映画：スタジオジブリ（二〇〇二）『猫の恩返し』、日本。

*【2】参考図書：道満晴明（二〇一八―二〇一九）『メランコリア』全二巻、東京：集英社。

*【3】口の中と鼻の中という、二つの空間を分けているのが上顎、つまり口蓋である。舌で手前から奥に上顎をなぞって行くと分かるが、前方は肉のすぐ奥に骨があって硬く、あんまり奥まで舌を進めると急に骨が消えて、ぐぬりと軟らかくなる。その硬い部分を硬口蓋、軟らかい部分を軟口蓋と言い、その一番奥の末端にぶら下がっているのが口蓋垂（喉彦、のどちんこ）である。言語によっては、硬口蓋と舌とで発音する音（例えば[c]）と、軟口蓋と舌とで発音する音（[k]）、口蓋垂と

舌とで発音する音（[q]）とを区別する。日本語には[c]や[q]がないので説明しづらいが、雑に言えば、テャみたいな音[ca]、カ[ka]、くぐもったカ[qa]、みたいな違いである。いや、雑過ぎるかな。

*【4】喉頭には声門と呼ばれる膜があり、意識して開閉できる。息を吐く時には開いていて、息を吐こうとして呼気を止めた時には閉じている。声門が気流で震動すると大きな音が出て、「あいうえお」などと発声する時は震えっ放しである。試しに「あいうえお」って言いつつ喉仏（喉頭隆起）をそっと触れてみると、ビリビリ震えているのが判るだろう。この、声門の震えを伴うか否かを学術的には「声」のあるなしと呼び、例えば無声子音（[t, p, s]など）と、有声子音（対して[d, b, z]など）との違いは、この震動だけの異なりである。

*【5】アカン語、イボ語、マサイ語などといったアフリカの諸言語に見られるという母音の区別。ATR（Advanced Tongue Root）と略される。舌の奥側の付け根（舌根）を前進させるか後退させるかなどによって、咽頭の空間の広さを変えて母音（の響き）を別物にする。なお、喉頭蓋は舌根の少し奥にあり、ヒトの場合はその先で気管と食道とに分かれる。

*【6】発声の際に口蓋を下げて気流を鼻の方へも通すことで、マ[ma]とかナ[na]とかの鼻音が出せる。失敗して鼻に空気が抜けないと、これらがバ[ba]とかダ[da]とかになってしまう。鼻から空気が抜けなくても、鼻の中に空気が入っていさえすれば、くぐもったマ、ナになる。鼻を抓んだり鼻の穴に指を突っ込んだりしつつ「マナカナ」とでも発音してみて欲しい。実際に出て来る音は決して「バダカダ」にはならず、鼻詰まりの「マナカナ」になるはずだ。

*【7】本文では触れていないが、もう少し大脳も大きくなってくれないと困る。

差別用語と言葉狩り

差別語・罵倒語・卑語・誹謗・中傷

ある時、市民講演の後の質疑応答の場面で、「差別用語」という言葉が参加者から出るのを聞いた。

はて、差別用語とは、何だろうか。

差別をする用の、語？

言語コミュニケーションは、様々な要素が入り混じって成立している。個々の単語に「意味」が一応張り付いてはいるが、語釈は状況次第で変ずるし、文意だって語義の寄せ集めだけで理解しきれるものではない。場面を無視して会話は成立しない。それは、言語が社会的コミュニケーション・ツールであると形容されることとも関連している。

例えば、文字に起こして全く同じになる文であったとしても、社会背景などの状況、文脈、対話相手、発音した（読み上げた）場合のイントネーションなどなど、総合的に考えて初めて話し手の発話意図は知られるものであるし、それは様々に異なるはずなのである。聞き手の意図が関与する余白など、一切ない。誤解は必ず、聞き手が起こす。

言語表現の曖昧さ

次の（1）のような、簡単そうな文一つを取ってみても、意味的にも意図的にも多様であるだろう。

（1）ネコいる？

場面としては話し手と聞き手とで、最低限二人はいるだろう。

話し手が猫の存在を聞き手に尋ねているようにも見えるし、聞き手を意識しながら独り言として路地裏などを覗き込みつつ発言しているのかも知れない。一般書の用字用法で煙たがられるからかな書きしているけど、「いる」だって「要る」「居(い)る」など複数の読みが可能だ。かなで書かれてしまっているから判らないが、「炒る」「射る」などといった猟奇的な話をしている可能性も否めない。

「ネコ」だって、動物の猫だとは限らない。猫のぬいぐるみを探している可能性などはどうだろう。動物を象(かたど)ったものや小さいものの全般をすぐに動物扱いして「ある」ではなく「いる」で表現する人は少なくない。僕もそうだ。よく「あっ、そこに小っちゃい茸(きのこ)がいる！

何この子可愛い！」などと口走って妻に冷ややかな目で見られたりする。人の形容として「ネコ」というのもある。「あなたにとってネコ役の人はいるか？」という質問かも知れない。「ネコ」が何等（なんら）かの隠語であったら、隠語情報を共有しているその特定コミュニティの外にいる我々には、決して何を指しているかは判らない。誰かの綽名（あだな）かも知れない。ブルシャスキー語社会では、毛髪と虹彩の色が薄い人に「猫ちゃん（*bišo*）」という綽名を付ける慣習がある。

　猫に会いたくて探しているのか、猫アレルギーなどで警戒して探しているのかも分からない。今この現場ではなく、「種々の動物が飼育されている動物園には、猫もいるか？」と尋ねているのかも知れない。特定の猫かも知れないし、不特定の猫かも知れない。拾った猫の引き取り手を求めているのかも知れなければ、精神的に参っている人に精神安定のための猫吸いをさせようとしているのかも知れない。野生動物保護に力を入れている地域などでは、ノネコは生態系保全への恐怖である。「猫」の出没には常に気を張らなければならない。

（1）のような短い文でも、文脈次第でいかようにも解釈することが可能だということが分かるだろう。つまり、逆に、これらの解釈のいずれを意図としていても、（1）の短い文に集約されて発話される可能性があるということである。

　だから正直、一〇〇パーセント話し相手の発話の意図を汲み取るというのは、無理だと思う。

協調性と文脈による支えが理解を絞り込む

とは言え、じゃあ常にどの発話であっても、無限大とも取れるそんなに多くの可能性の中から読み取らなければならないのかと言えば、勿論そんなことはない。言語が社会性に依存した道具だからだ。

有名な概念なので、言語学畑の人でなくても、「協調の原理」というものを聞いたことがあるかも知れない。言語でやり取りをする際には、協調性が大事で、言外の含みなどは次に挙げるような格率（かくりつ）（これを「グライスの格率（金言）」などと言う）に則って理解されるべきであるというものである。まぁ、多くの人は意識しないでもこれらに準じてやり取りをしているはずだ。

・量の格率：　過不足のないだけの情報を述べよ
・質の格率：　嘘や根拠のない推測を言わない
・関係の格率：　関係あることを言え
・様態の格率：　順序立てて簡潔かつ的確に述べ、曖昧性を出さない基本的にはこれに則って会話をしているので、例えば関係のなさそうな返答にも関係性があるものとして推測が立てられて理解される。

（2）―眠そうだね？
―昨夜、コーヒーがぶ飲みしちゃってさ。

字義通りだと、「お前は眠そうだが、そうかそうじゃないか」という発話に対して、「昨夜コーヒーをたくさん飲んだ」というのは頓珍漢である。だけど我々は「コーヒーをたくさん飲む」ことから「カフェインにより目が冴えて質の良い十分な睡眠を取れなかった」という含みを読み取って、延いては「確かに私は眠い」という回答を得られたと理解できる。

同じように（1）も、「ネコいる？」だけで聞き手には通じる文脈が成立しているから、「ネコいる？」だけで発話されているのだと言える。友人宅に遊びに行ったらくしゃみが止まらなくなり、友人が「お前、急にくしゃみ出始めたな？」と言ったのに対しての（1）だったら、話し手は恐らく猫アレルギー持ちだ。

実際には協調の原理だけでは説明できない現象も世の会話には多くあるのだが、そういった様々な語用論的加味があった上で、我々は発話内容を意図して発話をし、互いに会話を成立させている。

会話は、常に文脈の上で構築されていくのだ。

「差別用語」という幻想

さて、冒頭の話に戻るが、確かあれは二〇一五年のトークだったかと思う。パキスタンの言語調査の話をしている中で、「この集落にはドマ人という民族が暮らしている」といったような話をしたのだった。そしてそのトークで、参加者から『集落』という差別用語を出したのは意図があるのか？」みたいな質問が出たんだったかと思う。

僕には全く理解できなかった。

「集落」とは、ヒトの居住する建造物が複数寄り集まっている地理的な場所のことだろう。僕はそれ以外の語義を知らない。

しかし質問者に言わせると、『集落』や『部落』というのは差別用語だ」という。部落と言われて、鈍い僕も少しだけ何の話をその人がしようとしているのかが理解できた。なので、回答はこんな感じになった。

「集落」も「部落」も「部族」も「民族」も、差別をするための言葉ではない。僕の生まれ育った地域では全く意識したこともなかったが、言われてみれば大阪など関西では、それら（の内のいずれか、または全て）が差別意識と結び付いて語られることがあるとの話も聞き及んでいる。とはいえ、それでも単語自体が差別のためのものではない。言を俟たないが、パキスタンの山奥について話をしている中で、これらの単語に差別意識などは微塵も関与しない。

どうやら関西などでは、被差別部落などという概念があり、それにまつわる様々な語句が「差別的である」と意識されているらしい。正直、もう七年ほどは大阪に暮らしている今でも、その辺りの感覚は肌に沁み込んでおらず、ピンと来ない。特段の関心もない[*1]ので、一体どこでどのように使われている「差別用語」なのかも知らない。

そういった語句は、差別をしたい人が差別をしたい時に積極的に使うらしい。だけど、それは語句が「差別用」なのではない。差別の意図を持って使われることがあるだけの、一般的な語句であるに過ぎない。意図は話し手に内在するのであって、言語側（単語など）に備わっているわけではないのだ。

罵倒語などといわれる一群の語句もある。「バカ」「アホ」などの類だ。それであっても、これらの語句を用いたら必ず罵倒しているわけではないし、罵倒する時に必ずこれらの語句を用いるわけでもない。中立的に見れば、大した意味のないカテゴリ化でしかないだろう。

（3）ちょっと、ねぇー、バカ言ってないでさー。ちゃんと聞いてよー。

（4）お前、この、体育会系が！　そういうのがいつまでも通じると思うなよ。

この（3）には「バカ」が含まれているが、意図として「愚かしい頭脳の持ち主が述べるようなことを言うということは、お前も愚鈍であるのだろうな、愚か者め」などと罵倒しようとしているわけではない。一方で、（4）にある「体育会系」は、一般的な理解では「罵倒語」や「差別用語」などと括（くく）られる語句ではないと思われる。けれども、この場面での意図は、罵りとしての発話だと考えられるだろう。つまり、「根性論で物事をゴリ押しに解決しようとする発想、またはその持ち主」といったニュアンスで「体育会系」という語が用いられているのである。

そういったことを踏まえると、やはり、「差別用語」だの「罵倒語」だのという発想自体が、無意味であると言える。それは、放送禁止用語[*2]なども同じで、悪意ある誰かの意図が独り歩きし、「誰がいつどのように発してもその言葉自体が悪い意図を含んでいる」などと勘違いされているだけである。

以前、僕のインターネット上でのとある日本語の発言に「イギリス（英語）ではその表現は差別的だから、すべきではない」などと言ってきた人があった。というか、今でも時折湧く。けれどもそれは、では、世界中の全ての言語で、差別に用いられた経歴のある全ての語句（と似ている発音の表現）を、いかなる言語でも用いてはならないということにならなければならないはずだ。そこまで徹底してくれないと、片手落ちではないか。英語だから偉いと思っているのだろうか。[*3]自分の眼に付いたところだけで、正義風を吹かせて自分のルールを押し付けるのは、やめなさい。もちろん、僕の発言内にそんな意図はない。そこに読み取った差別の意図は、発信者の僕にではなく、あなたの中にこそ存在している意識の産物でしかなかろう。

文脈を共有していない、見ず知らずの者の発言を、表面的に理解した気になって「差別だ」などと訴えるのを、「言葉狩り」と言う。中には、発話者自身が差別的意図を伴って発話していることだってあるだろうけれども、一方で文脈を無視して言葉尻だけを捕まえて非難しているケースも多い。非難したいから非難できそうな言動を探っているだけで、そんなのは下種で悪趣味なトロフィー・ハンティングの一種でしかない。

当然ながら、ここでの意図は、差別的な発言を助長したり容認したりすることではない。差別は倫理的罪悪である。だが、差別の問題は難しい。それは、ヒトが嘘を吐ける動物だからだ。発話者が常に意図を見えるように出しているとは限らないし、差別を意図していた発話者が指摘されて素直に認めるとは限らないからだ。*4 客観的に証拠を掴みがたい。けれども、だからと言って疑わしいものを全て叩いたり、挙句に無辜の言語表現に「差別用」だのというレッテルを貼り付けて、十把一絡げに糾弾したがる言葉狩りをすることだって、大いなる邪悪であることに疑いない。

二〇二〇年八月二七日〜三一日

注釈

*【1】念のため記しておくが、そういう差別がある、またはあったということ自体を是とするわけではない。パキスタンにも、イスラーム化されてほとんど消滅しているが、インドに現存するカースト制度が根柢に見え隠れしていて、たまにふと、それに基づく差別観を感じることがある。そういった差別問題は当事者には大問題だろう。けれども、僕にはそのシステムに基づいて誰かを差別しようとする発想がないし、そういった動機で差別する人とは関わりたくないな、と思うのである。そういう意味で、「関心がない」。

*【2】本来は、実際に法的根拠があって禁じられているわけではなく、放送などを担っているマスメディアが自主的に忌避していた語句でしかなかったのだが、次第に、根拠もないまま他者からも糾弾されるようになっている。

*【3】世の中には、偉い言語と劣った言語とに分けて考えたり、普遍的に誰もが勉強すべき言語と消滅しても構わない言語とに分類したりする、言語差別者が結構いる。他者の学習している、未習熟な英語に駄目出しをして悦に浸っているような、性格の宜しくない同業者などもあったりする。曾て、国際学会での発表で主題から脱線し、主催者サイド内のそういう輩を相手に、英語帝国主義を捨てよと一幕演説を打ったこともあったが、そういう人にとっては単に馬耳東風、もしくは負け犬の遠吠え程度にしか聞こえなかったことだろうなぁ。

*【4】発話を意図するのは発話者であって聞き手ではないので、本当に誤解が生じたならば、それは聞き手が発話者の意図と違って理解したという意味でしかない。だが、文脈などから聞き手は理解をするので、広く誤解されるような話しかたをしたなら、発話者にも責があろう。組織などで責任ある立場にいる者であればあるほど、そもそも誤解を生じさせないような発話を心掛けるべきものである。それなのに誰もが誤解をしたのであったら、それは誤解ではないか、話しかたが激烈に悪いのではないか。それでも、発話者の意図を他の誰かが一意に決め付けることはできない。結局、「誤解」が本当に誤解なのか、見抜かれた真意なのかは、嘘発見器か神の視点でもない限り、発話者の認めかたで決まってしまう。後はもう、社会的な、明け透けに言えば信用の問題である。

僕は言葉

社会言語学・隠語・アイデンティティ

言葉は人を映す。

何故なら、言語というのはコミュニティの中で互いに構築している、暗黙の共通諒解の上に成り立っている社会的ツールであるためである。言ってしまえば、言語コミュニケーションとは、曖昧模糊とした概念である「社会通念」の、ぶつけ合いの一種だと考えても良いかも知れない。

例えば、あまり好きな物言いではないが、「何だ、こいつの喋りかたは。お里が知れるな」とか、「育ちの悪さが露呈した言い草だ」とか、話しかたや言葉遣いなどを論って、生育環境に結び付ける発想を振り翳しては誰かを非難するような輩というのが、世の中には少なからずおり、この手の論法を耳にする機会にも事欠かない。だが、確かにある一面ではそれも正鵠を射ている部分がある。

個人の言語はいつだって育ち続けるナマモノである。いつかどこかで伸び代一杯に完成して、それ以降は固着して一切変化しないようになるというものではない。そんな、生きた言語能力は、社会環境に常に曝されていて、好む厭うに係わらず影響を受け続けているのだ。

私の僕と俺

日本語は一人称代名詞が多様な言語だと言える。これを読んでいるかたは、自分のことを何と呼んでいるだろうか。

僕は俺だった。

早速、混乱する一文だろう。

いや、厳密には、僕は一部俺で一部僕だった。昨今は僕だ。

僕は小さい頃から自分に対して「僕」呼ばわりをしていた。だが、幼稚園を終え、小学校に入ると、周囲の男子はほとんどが、自身のことを「俺」と呼んでいた。「僕」なんて言っていたら、寧ろちょっと浮いた。

今も昔も、基本的に僕は、社会の中でなるべく目立ちたくない、林立する森の木の一本に納まりたいと思っている。そんな僕なので、人と違ったことをして悪目立ちするのは、性格的に難しいこと。だから、なるべく周囲の男子連中と足並みを揃え、自分のことを「俺」と呼ぶ練習を始め、慣れていった。

だが一方で、吉岡家では自分のことを「俺」などというのは言語道断の悪事とされていた。

うっせぇわ、ばーろー、親の言うことなんか聞くかよー、などと言って盗んだ原チャリでパラリラと鉄パイプ片手に爆走するような健康優良不良少年ではなかった僕なので、その結果、家では「僕」、学校では「俺」を使い分けるヤーヌス[*1]になっていた。内弁慶外地蔵に匹敵する社会性の発揮である。

小学校で身に付けたその両面性は、大きくなっても変わらなかった。三つ子の魂百まで。三つ子の時分に家で「僕」だった僕は、一貫して家では「僕」なのである。

一方で、外面は変遷を遂げる。幼少期は「僕」だったのが、小学校半ばで「俺」になったものの、大学院修了頃に再び「僕」[*2]へ切り替わり始めた。若干、種明かしと言うか、自己分析と言うか、とにかくこっ恥ずかしい気もするが、身を切ってネタとすることにしよう。

いや、厳密には外でも「僕」を使っている場面はあった。社会性の高い（そして小心者の）僕は、教師やその他の大人と話をする時には、基本的に「俺」とは言わなかった。僕の生まれ育ってきた社会環境からの帰納では、目上の人に対して話をする際に「俺」という自称を用いるのは、何か失礼そうな気がしたからだ。

そして大学院くらいになってくると、先達である諸教員サマがたと話す機会も増え、「僕」の出番が増えた。同輩後輩と話す時は「俺」だけど、教員と話す時は「僕」というダブルスタンダードは、少人数クラスやら懇親会やらで面倒臭い。禁じられたらやりたくなる、みたいな稚気溢れる反発心も、薹（とう）が立ちまくったこの時期には、摩耗して塵（ちり）も残っていない。やらなくて良いことなら、やらないで良いのではないだろうか。

ところで僕には、二〇一二年度に大学院を修了し、二〇一四年度に現職に就くまでの間に、一年のギャップがある。二〇一三年度は、学振PD[*3]という、いわゆるポスドクという身分の一種に身を置いていた。このポスドクの時期、似た身分の人たちが共同で使う研究室があったのだが、基本的に他の方々の研究室利用率は低く、博士論文を書いていたそれまでと比較してもめっきり、独りで過ごすことが増えた。

いずれ研究者になるとなったら、これまで「先生」だった方々も、これまで「後輩」だった連中も、基本的には肩を並べて同じ身分になっていく。小中高大とストレートに進んで来た僕にとっては、社会はそれまで基本的には年功序列で、待遇の上下が明確だった。だがこれからは、ごった煮みたいな社会になっていくのだ。ゼミの先生は育ててくれた「先生」だとしても、その「先生」と同列の方々が、同僚として新規に登場する可能性もある。その一方を「先生」として目上に扱ったら、もう一方も目上に扱わなければならない気もする。だが、同僚は年配から若輩まで多様で、いずれは「後輩」が同僚になるかも知れない。同じ立場の人は、同じで扱うべきだと思いつつ、同じ人は同じ扱いをし続けたいと考えるのは、齟齬を生む。上下感覚が狂う。

だったらいっそ、誰に対しても失礼じゃない、当たり障りのない話しかたに統一してしまえば良いのではないだろうか？

大学院が終わって、社会人付き合いが本格的に始まる前の、対人コミュニケーション稀薄期間に、そう思い至った。

だから今では、職場でも、家でも、僕は僕になっている。

言うなれば「社会人デビュー」[*4]である。

言葉とキャラ

こうやって、社会的動機が日本語の一人称代名詞には若干ながら関わっている。それを意識しない人もあるだろうけれども、「目下が『俺』などと言っているのは生意気だ」などと憤慨する人もある。フィクションでは「ボクっ娘」などと、キャラ付けにも一人称代名詞は多彩に利用されている。[*5]

そのように、言葉遣いには人物像を反映する側面がある。

俗語【slang】とは、公の場面では使われない、一般人の使う語句のことである。例えば、「ウザい」とか、「マジで」とかを、スピーチコンテストや面接で使ったりは、普通、しないだろう。人によっては、砕けた雰囲気の日常会話であっても、そういった言葉を使わないかも知れない。逆に、俗語を多用する人は、もしかしたら親しみやすさとか、ヤンチャさなんかをアピールしたがって、そういった語句の選択をしているのかも知れない。その狙いが空振りしてしまうと、馴れ馴れしさや露悪的振る舞いに見えてしまうことだってあろう。

俗語と似て非なる概念として、隠語**【jargon】**というものもあり、こちらは特定の集団だけで通用する語句のことを指す。[*6] 警官を「マッポ」、お茶を「あがり」などと言い換えるのも、「DQN(ドキュン)」、「タヒる」のようなネット用語、「ピンチケ」、「箱推し」のようなドルオタ用語なども、「自発」、「格」みたいな言語学用語だって、隠語である。隠語を場面に憚(はばか)らず多用する人なんてのもいて、その行いは、自分がその言葉の通じる小集団の一員である、もしくは一員になりたがっている、という強い心理を抱えているためなのだと理解できそうだ。

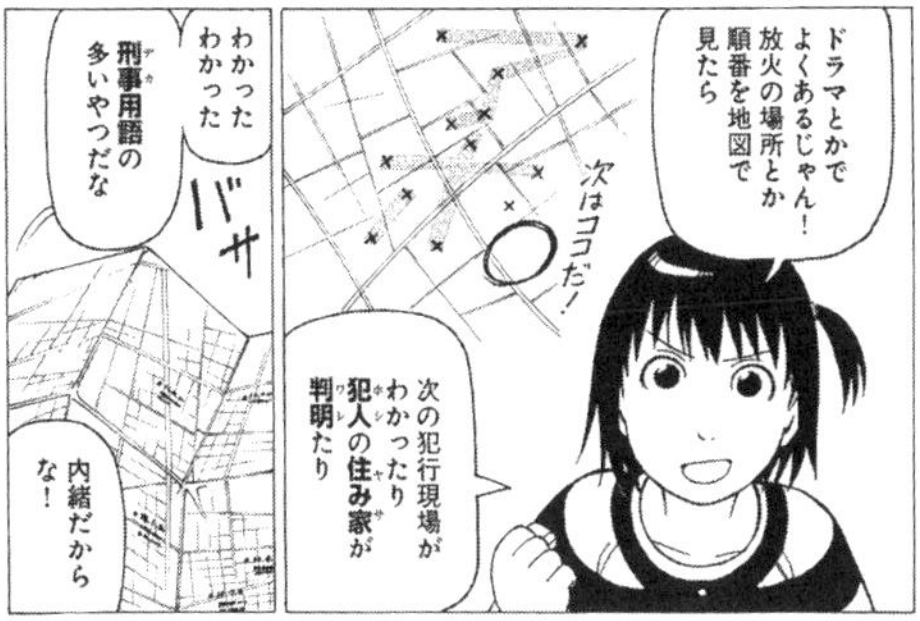

図2は、[*7] 推理小説やサスペンスドラマを好んでいる、探偵に憧れる主人公が、警察官と連続放火事件の話をしている場面である。そういったフィクションからの影響もあって、己(おの)が身を「そちら側」に置きたいと願っている意識が、隠語である刑事(デカ)用語を口走らせている。一方で、現職の警察官はそんな主人公に、冷めた態度を示している。もしかしたらそれは、現実には、少なくとも昨今、そんな隠語が多用されたりはしないのだという冷ややかな反応なのかも知れない。

図2.「ホシのヤサがワレたり」
(『それでも町は廻っている』 9巻15ページ)

敬語と距離感

話しかたと言えば、敬語などの文体差も距離感を違える手段として機能する。

普段は敬語を用いない常体で話していた相手が、ある日、突然、敬体で話し掛けてきたりすると、心理的に余所余所しく感じられたりするだろう。気味悪く思えたり（図3）[*8]、何か怒らせるようなことを言ってしまっただろうか、嫌われるようなことをしてしまっただろうかと、気を揉むかも知れない。仲良かった人が、飲み会の次の日に敬語を使い出したりしたら、酔い散らかして何等かの大失態でもかましてしまったのではないかと、大いなる不安に襲われるだろう。

試しに歌詞検索サイトで、日本語ポピュラー音楽の歌詞を「敬語」というワードで検索すると、「敬語を使われて淋しい」とか、「年下にも敬語を使うコミュニケーション下手」とか、「馴れ合わないために敬語」とかって感じの歌がぽろぽろ見付かる。つまり敬語は、心を鎖している傍証であり、対話者を自分の心理的縄張りに入れまいとする態度が透かして見られるのだと考えられているのだ。

敬語に関しては《例のあのお方》の節でも述べた通り、色々な言語で見られる。そして、それらの言語でも、やはり同様に心理的隔たりと結び付いている。親しさと敬いとは、割と二律背反的なのである。例えばフランス語では親称 *tu* と敬称 *vous*、ポーランド語の親称 *ty* と敬称 *pan* / *pani*（男／女）[*9]、ウルドゥー語の最親称 *tū*（تُو）と親称 *tum*（تُم）と敬称 *āp*（آپ）[*10]、キルギス語の親称 *sen*（сен）と敬称 *siz*（сиз）、テルグ語の親称 *nuvvu*（నువ్వు）と敬称 *mīru*（మీరు）など。英語には、現代語ではもう親しかろうが敬っていようが二人称単数代名詞は *you* だが、曾ては *thou* という表現があった。その頃から *you* は二人称複数の代名詞だ[*11]。上のフランス語やキルギス語、テルグ語と同様、複数形を用いることで敬意を表していたのである。

チェコ語 *tykat*、フランス語 *tutoyer*、フィンランド語 *sinutella*、インドネシア語 *berkamu* など、「お前呼びする」とでも訳せそうな動詞を持っている言語も多い。日本語で言えば「タメ口を利く」とか、「呼び捨てにする」辺りが相当するだろうか。

図３．馴れ馴れしい年上の急な敬語使用
（『ピューと吹く！ジャガー』16巻12ページ）
©スタジオレッタ/集英社

親しくもない相手に初手からタメ口を聞いたり、初対面の異性に対して許可も得ず「ちゃん／くん付け」したりする人は、遭遇しないように気を配っていても、結構出会うことがあるし、ＴＶ番組見掛ける機会も多い。

などで、年長の男性が偉そうな口調で若手の女性を相手に「ちゃん付け」で、大様（おおよう）さと履き違えた横柄さで語っているのを見たりすると、途端に白けてしまう。

敬体が疎遠さを表すこともあるが、必ずしもの含意ではない。敬意を持っている相手と親しくなった際に、それでも常体を選ばないのだって個々人の自由である。僕は僕にはできないことを色々できる年下の伴侶を、出会った時から結婚して数年経つ今まで、通して「さん付け」で呼ぶ。そしてこれからも、それは変えないと思う。

言葉とアイデンティティ

言語を社会的な自己の得体への確信、即ちアイデンティティの要（かなめ）とするという発想は、日本ではやや直感的ではない話かも知れない。だが、多言語社会においてはしばしば、自分の立ち位置を定めるために、どの言語を用いるかを選択することが大きく関わる。

本来、言語と民族とは一対一で対応しない。言語は貸し借りができる点で、民族性とは異なるからである。例えば日本生まれ日本育ちで両親も日本人である僕が、努力の末に日本語以外の言語を話すようになるかも知れない。日本語を忘れるわけではないが、日々の生活をすべてブルシャスキー語で賄うかも知れない。では僕はその時、（民族としての）日本人から、ブルシャスキー語を民族語とする民族であるブルショ人に変貌を遂げるのだろうか。

そんなことはなかろう。
だから、ある言語を話すことと、ある民族に属すこととは必ずしも一致しない。けれども、時と場合によって、民族性の論拠に使用言語を持ち出すことはある。

　北マケドニアで話される、インド・ヨーロッパ語族スラヴ語派のマケドニア語という言語がある。この言語は、今でこそ落ち着いてそう呼ばれているが、紆余曲折があった。歴史的に北マケドニアの地が、色々な国に属していた過去があるため、国としての独立も認めたくなかった周辺国に、客観的に言えば、虐められた感じになっていたのだ。ブルガリアはこの言語を、ブルガリア語の一方言に過ぎないと訴えたし、旧ユーゴスラヴィアも、セルボ・クロアチア語（セルビア語とクロアチア語とボスニア語とを同一視した言語）の一方言に過ぎないとし、だから「正しい」セルボ・クロアチア語を学ぶように嗾けた。ギリシアはギリシアで、古くアレクサンドロス三世などといったマケドニア人が話していた、ギリシア語派の古代マケドニア語があり、現マケドニア地域で話される現代ギリシア語マケドニア方言もあるので、それ以外に「マケドニア語」を認めないと言い出した。[*12]

　注目したいのはブルガリアの訴えで、方言とはいえブルガリア語を話しているんだから、北マケドニアはブルガリアに属すべきだという含意がそこにはある。

　今や、マケドニア人という言葉は三つの異なる集団を示している。①古代マケドニア人も、②ギリシア北部のギリシア系マケドニア人も、③マケドニア語を話すスラヴ系マケドニア人も、マケドニア人なのだ。この③は、言語によって線引きをした民族認定だ。

ロマ、ドマと自称するような、定住したり流浪したりするユーラシア西部に広く散り散りに分布している民族、いわゆる「ジプシー」は、その実、多様な民族が混在してしまっているし、ロマニ語やドマリ語、ロマヴレン語といった民族語も、もう話さないメンバーも多い。そんな彼らは、最早言語だけにアイデンティティを求めることは少なくなっているだろうけれど、ロマニ語にはこんな、言語に内包された社会的価値を口伝する素敵な諺がある。

« Amari čhib si amari zor » 「我々の言語は我々の力」

故郷を遠く離れて寂しく暮らしている時に、地元言葉を聞いたら嬉しくなる。それは同郷の、同じコミュニティ出自の、アイデンティティを同じくする仲間がいると判り、心強さを覚えるからではないか。

昨今、日本でも、「どの方言が可愛いか」みたいな、客観性の欠片もないランキングがTVとかネットとかで散見される。結局、可愛い人が可愛く言えばどんな方言でもチャンピオンじゃないのかとも思うが、そういった「可愛い方言」みたいなのをファッション感覚で舌に乗せることで、巧みに人心を引こうとする企みが世の中にはなくもない。ファッション方言は、自分の魅力を弥増(いやま)させるために、言語の力を借りているのだと言えるだろう。

思えば、生まれ育った関東でも、大学などで色々な出身の者が集まっている際に、不思議と関西出自の人たちは自分の方言を使い続けているのが窺えた。東北の人や九州の人や、房総の人も北関東の人も、たまたま知り合いの全てが地元方言を習得していなかっただけという可能性もワンチャンあるが、小中高の国語の授業で習ってきて、全国放送のＮＨＫアナウンサーが口にしている「標準語」を用いているのとは打って変わって、関西人たちは、狷介(けんかい)不羈(ふき)に「ちゃうやろ」「どないやねん」「しばくで」みたいな言葉を使っていたのだった。あまり憶えてはいないけれども、「標準語」とは違ったことが多い。

関西方言の力が強いからなのか、関西人が強いからなのかは知らないが。そしてそれは強さなのか、協調性のなさなのかも分からないが。本気で関西を日本の中心だと信じているだけの可能性だってあるんじゃないか。知らんけど。

言葉は映りの悪い鏡

本節で触れたような話は、社会言語学という分野で侃々諤々喧々囂々(かんかんがくがくけんけんごうごう)するネタである。特に、場面と言語選択とのマッチングに関しては、言語使用域だとか、レジスター[*13]だとかって言われる話題だ。

言語は社会的ツールなので、僕の、私の、俺の、あなたの、君の、あの人の言語は、僕や、私や、俺や、あなたや、君や、あの人の社会的実体を部分的に映し出す鏡になり得るのだ。だけど言葉は嘘だって吐ける。言語では照らし出せない側面だってある。己の言動をコントロールする精神だってヒトには備わっているのだから、そう簡単に本性なんて転び出ては来ない。「お里が知れる」とか嫌味ったらしく嘯く輩のお里は、その手の不快な発言を聞いても特定できないのだ。

残念だねぇ。

二〇二一年二月一四日～二一日

注釈

*【1】ラテン語 *Iānus*。ローマ神話の、後頭部をくっ付ける形で前と後ろとに顔を持つ双面神。あっちとこっち、内と外とを同時に見ることから、出入り口の神であり、延いては年の始めの神でもある。そのため、英語の月名 *January*「一月」の語源にもなった。二つの人格を持つ主人公の漫画『ヤヌスの鏡』（宮脇明子著、集英社）のように、「ヤヌス」と呼ぶこともある。

*【2】実は、幼少期や家での「僕」と、大人になってからの外での「僕」とは、字面は一緒だが、発音が異なる。前者は頭高アクセントの *bóku* で、後者は平板アクセントの *boku* である。

*【3】日本学術振興会特別研究員（PD）。三年間の期限付きで、日本学術振興会から給料が支払われ、どこかの大学や研究所などの希望する研究室に受け容れてもらって研究をする職である。PDは *postdoctoral*「博士号取得後の」の意。

*【4】高校や大学への入学という、環境の一新に伴ったキャラ変更のことを、「高校（生）デビュー」、「大学（生）デビュー」などと言う。公立小学校から公立中学校への進学

などでは、学区内の面々が継続して持ち越されるので、かなりの割合で環境が保持され一新されない。僕の場合は高校で、隣の市の私立へ進んだので、学年人口五五〇人の中で、同じ中学校の出身者は五人ほど（約一パーセント）しかおらず、「一新」と言えるだろう。別に「高校デビュー」はしなかったが。私立高校から国立大学への進学も、同窓生は三、四人（約〇・五パーセント）だけだったかと記憶している。

*【5】漫画やアニメでは枚挙に遑がないだろう。他のジャンルからの例として、例えばホロライブのVTuberタレントでは、百鬼あやめ氏が「余」、大神ミオ氏が「うち」、ロボ子さん氏や猫又おかゆ氏が「僕」を用い、兎田ぺこら氏、常闇トワ氏、夏色まつり氏、桃鈴ねね氏など（他多数）が自分を名前呼びするキャラクターである（「VTuber」に関しては、《どうして文法を嫌うのか》の注釈8を参照のこと）。一方で、宝鐘マリン氏は「船長」、白銀ノエル氏は「団長」などと自分を役職呼びしていて、小学校などで耳にした、先生の言う「『先生』の言うことを聞きなさい」と同じ現象だと言えるだろう。ある意味では、バーチャルなキャラクターに扮する時、自己言及を三人称的な呼称ですることは、意識の切り替えスイッチとして有効なんじゃないかと、夢のない分析もできる。名前呼びや役職呼びのような「三人称自称【illeism】」は、セサミストリートのエルモや、ハリー・ポッターに登場したドビーのように、日本語以外でも見られる現象である。

*【6】細かいことを言えば、これには「集団語」とでも言ったほうが良いものも含まれている。一方で、集団の中で話を簡便にするために用意されている専門用語や業界用語の類は集団語であり、他方で、集団外の人間に理解されないようにという意図で作られる言い換えの類を隠語と呼び分けることができる。但し、集団語であっても、それが通用している集団の中だけではなく、集団外メンバーがある場面にあってもこれ聞けよがしに用いれば、いよいよ隠語になる。広くは、集団語も隠語の一種と看做される。

*【7】石黒正数（二〇一二）『それでも町は廻っている』九巻、東京：少年画報社。

*【8】うすた京介（二〇〇九）『ピューと吹く！ジャガー』一六巻、東京：集英社。

*【9】元々*pan*は「紳士、師、主人」のような意味の名詞。*pani*はその女性形。*pan* / *pani*を用いた場合の活用は三人称単数。

*【10】元々*tum*は二人称複数代名詞、*āp*は「自身」の意味の名詞。*āp*を用いた際の述語の活用は、三人称複数に一致する。日本語でも「『自分』がやったんだろう」などと、二人称代名詞的に「自分」という表現を用いることがあるのに、ニュアンスこそ異なるが、似ている。

*【11】だから現代英語で二人称単数の*you*も、be動詞が*are*と、複数形になっている。

*【12】何なら、一九九一年にユーゴスラヴィアが崩壊してこの国が「マケドニア」を名乗って独立したのも、ギリシアと揉めに揉め、二〇一九年にマケドニア側が折れて「北マケドニア」と改称する破目になった。

*【13】ちなみに音楽の分野では、レジスター【register】という用語は「音域、声域」を指す。

11

日常を
フィールド言語学する

フィールド言語学・個人語

フィールド言語学などと大仰に言われると、「ほぇー、フィールドとやらに出て、言語学なる大層なことをしなさるのかぇ」などと身を引いてしまう読者の方々もあるかも知れない。けれども、フィールド言語学というのは、言語使用の現場（フィールド）でネタを見付けて、言語学的に考えるというだけだし、言語学なんてのは単に、科学的に言語を考察するだけなんだから、身構える必要などないのである。

誰かがいて、何かを喋ったら、そこをフィールドにできる。看板やらSNSやら、とにかく言語使用があれば、そこもフィールドと呼んで良い。そんなことを言うと、フィールド言語学者である己自身を誇り、果てはその看板を崇拝すらしていそうな人に叱られる可能性もあるが、フィールド言語学というのは別に宗教でも思想でも至上神でもなく、データを獲得する手法に基づいた、方法論の一ジャンルに過ぎない。

研究をしたら誰もが義務的に発表をしなければならないわけではない。発表をするにしても、必ずしも学会だの研究会だの研究誌だのでなければならないという決まりはない。そんなのは、職業研究者やガチで研究をしたい人が必要に応じてすれば良いだけのことであって、趣味で研究をして、自分だけが何かを知ったのだとホクホクしていても、夏休みの自由研究として学内で公表しても構わないのだ。

我々は言語を用いている。恐らくほとんど毎日、ひっきりなしに言語を用いている。

そうすると当然ながら、身の周りに、自分が発したのではない言語現象が溢れ返っているだろう。

ほら、チャンスだ。

誰かの言語を記録して、じっくり考えてみよう。自分がいかに言語に関して知らないか、自分の言語と他人の言語とがいかに異なっているか、言語がいかに複雑かなど、すぐに色々なことが見えてくる。何せ、誰一人として全く同じ言語を話す人はいないのだから。好んで使う表現も異なれば、発音も違うし、独特の言い回しを習得してしまっている人だってある。いや、自分一人の言語だって、場面に応じて表現のチョイスは変わるし、発音する度に少しずつ音は異なる。言語はナマモノだ。

しがない関西弁のメモ書き

『なくなりそうな世界のことば』を書いた頃は独身だった僕も、『現地嫌いなフィールド言語学者、かく語りき。』の出版前には晩(おそ)めの結婚をし、今やすっかり新婚期を終えた。そんな僕の妻は大阪生まれ大阪育ちのあっさり関西人で、千葉生まれ千葉育ちのチャキチャキ関東人の僕とは、それなりに異なった言語を話す。とは言っても今時の人なので、「あきまへん」とか「もうかりまっか」とかは言わない。「言うても（ユーテモ）」は言っても「今時の人やさかい」とは言わない。

そんな妻の言葉を何食わぬ顔で観察していたら、ある日、「来て欲しくない」を「キテイラン」と言っているのに気が付いた。なるほど、「欲しくない」は「要(い)らん」だから、「来て欲しくない」は「キテイラン」なのか、と理解した。けれども、じゃあ「来て欲しい」は「キテイル」になるかと言えば、そうはならない。標準語の「来ている」は彼女の表現では「キテル」なので、同形の衝突にはならないのだが、言わない。

では、「行って欲しくない」は「イッテイラン」と言うかと言えば、これも言ってくれない。「~テイラン」は、「していらん」「言っていらん」「書いていらん」と「来ていらん」しか言わないようだ。

しかも、「言っても」は「ユーテモ」なのに、「言って欲しくない」は「イッテイラン」であって、「ユーテイラン」ではない。

何でやねん。

——と、ここでこの話は終わりにしても構わない。不思議だなぁ、奥深いなぁで終わって、何が悪い。もちろん、研究者でこのトピックを攷究（こうきゅう）しようとしていた人があっさり諦めるのは宜しくないかも知れないが、趣味の考えごとはどこで手放しても罪にはならない。

動画配信サイトをフィールドワークする

言語変化の萌芽を探すのだって、日常風景を眺めるのが良い。

言語は常に変化する。今日の日本語と昨日の日本語とは同じではない。最近は減ったが、ひところマスメディアでは「日本語の乱れ」などと言って、日本語の変化を毛嫌いして糾弾する嫌いがあった。誰が何の権利に依拠して「乱れ」などと価値判断を下すのだろうか。醱酵と腐敗のように、ヒトのためになるか否かみたいな（曖昧だけれども）基準があるわけでもなく、変化に付いて行けない老人が悪し様に罵っているだけのそんな評価は即座に放下されたい。

若者による使用に限らず言語は常に変動するポテンシャルを秘めている。一部の集団で通用していた隠語が、その枠から食（は）み出して一般に膾炙（かいしゃ）していく事例も昨今は多く、業界用語とかネットスラングとかに由来する新表現も巷に溢れては、定着したりしなかったりしている。

だったら、そういった界隈を散策するのだって、立派なフィールドワークだと言えるのではないだろうか。要するにネットサーフィンだ。

　別の節でも垣間見せているが、僕には割と昔から動画配信サイトを巡る趣味がある。なので、「ワンチャン」[*1]とか「草」[*2]とかいった、ネット世界で多用されて、後に現実世界へと越境した表現も、当初から馴染んでいる。

　そういった動画や配信を眺めていると、当然ながら、動画投稿者やストリーミング配信者の言語活動も視聴することになる。別に特別注意を払っていなくても、自然とあちらから言語現象が襲い掛かってくるのだ。彼らは、比較的若者が多いだろうけれども、全員が全員若いわけでもない。一方で、新規の言語表現だって、別に若いから放つわけではない。歳を十分に食っていても新しい表現を使いたがる人だっている。若者と濃密にコミュニケーションを取っている老人が、感化されて若者言葉を巧みに操るかも知れない。そもそも、ネットの向こう側の彼らの素性は、大概が隠されていて、実年齢だの何だのは分からない。バ美肉（びにく）などの可能性もあるので、性別すら定かではない。

図４．「違かった」の字幕（M.S.S Project, 2019）

　ある時、M.S.S Project[*3]のゲーム実況動画[*4]を見ていたところ、画面の中央に「違かった」という文字列が表示される場面に出食わした（図４）。昨今、「違う」の形容詞的な語形変化が日常会話ではよく耳にできる。無論、これを「悪い」などと言いたいわけではなく、何なら僕自身もよく「違くない？」などと言う。けれども、口で言うのと、字幕のように文字で打つのとでは違くて、いざ入力して漢字変換をしようとすると、「違かった」は（少なくともMicrosoft IME という、Windows 標準装備の日本語入力システムでは）一発変換できない。何故なら「正しい日本語」では、「違う」は動詞であって、その過去形は「違った」だからである。

つまり、この動画を編集した人物は、敢えて手間を掛けて、話し言葉を漢字かな混じりで出力しているのだ。素晴らしい。

どうしても物を書く時には書き言葉を書こうとしてしまうのが、学校教育の弊害ではないかと個人的には思っている。漢字かな混じりで方言ツィートを日常的にする人とかの努力も、僕は買いたい。「何もない」を強調しようとすると「なんにもない」となるが、そのように入力して漢字変換すると「何にもない」にされてしまう。けれども「ナンニモ」は、「ナニモ」の「ニ」が「ンニ」になったものであって、「ナンニもない」は「何にもない」ではない。「暑い」の強調が「あっつい」になる、「ツ」⇒「ッツ」の変化と同じようなもんだ。敢えて書くなら「イん可もない」だし、「日っ者い」だ。いや、無理がある。これくらい、話し言葉を漢字かな混じり文に書き起こすのは面倒臭い。

漫画をフィールドワークする

ネット動画の字幕以外にも、話し言葉と書き言葉の衝突しがちな場面がある。これまた僕のこよなく愛するメディアである、漫画だ。残念ながら創元社さんからは娯楽漫画の類が出版されていないので、余所(よそ)の出版社の漫画を引くことを許して欲しい。

漫画は、キャラクターが会話をするので、話し言葉がたくさん登場する。だけど文字にしなければならないので、書き言葉の偏見に引っ張られてしまう。そんな拮抗する衝動から、楽しい言語現象がしばしば発生するので、読書が一層楽しくなる。

近年、特に話し言葉に寄せている文字列が多く見られるようになってきている。事情は知らないが、出版社側の姿勢が柔軟化してきているためなのではないかと推察している。校閲の仕事には、「正しくない」言語表現を「修正」する役割があるが、その眼は恣意(しい)的に標的を定めている。第一、校閲者が「正しい」と言っている表現は、誰が「正しい」などと決めたのだろう。無批判に古い表現が正しいのだと言うのは、単なる老害である。

先ほど述べた「違う」の形容詞活用は、多く漫画内で書かれるようになってきている（図5）[*5]。そもそも「違う」の意味は、少なくとも現代では、かなり状態的であって、「XがYと同じでない」といったものである。他にも「異なる」「似る」みたいに、状態っぽい意味の動詞は間々あるが、動詞と形容詞とがはっきり分かれている言語においては、基本的に動詞は動作を表す傾向にあり、一方で状態は形容詞が表す傾向にある。「明るい」や「激しい」などは形容詞だ。特に、「違くて、違かった」などの形で用いられている場合には、誰かの発言・推測などを受けて、「そうではない、合っていない」の意味での使用であり、表立って別の何か（Y）と対比しているのではなく、直前の意図を否定するための表現である。

ヒトの認知能力が品詞を定めていく時は、類似性が根柢に利いていると思う。似た概念として認識したものを、似た形・表現にする。その結果、名詞とか、動詞とかといったカテゴリが誕生するのであって、言語が発生する最初から「この言語には名詞と動詞と形容詞を作ろう」と分類するわけではない。

図5．「違くない」や「違くて」
（上：『ブルーピリオド』8巻12ページ、
下：『宇宙人ムームー』1巻39ページ）

さて、『そうではない』という意味概念は、「白くない」と「走っていない」と、どちらに概念的に似ているだろうか。前者に似ていると思ったら、「違くて」、後者に似ていると思ったら「違って」に吸い寄せられる。ざっくり言えば、そんな感じだろう。

図6．副詞的「凄い」
（『やがて君になる』3巻104ページ）

形容詞が関わる別の新表現として、「凄い」の副詞的使用というのがある。日常的な話し言葉では最早、聞かない日はないくらいに浸透しているもので、動詞・形容詞（いわゆる用言）を修飾する「凄い」である。

本来、用言を修飾する場合には、形容詞は末尾の「イ」を「ク」に変えることで、形容動詞は末尾の「ナ」を「ニ」に変えることで副詞に変化させる約束になっている。「早い（時間）」が「早く（行く）」になったり、「僅かな（時間）」が「僅かに（青い）」になったりするもので、これを「*早い行く」とか、「*僅かな青い」などとは言わない。

けれども、「凄い」で用言を修飾する際に、昨今は副詞形の「凄く」ではなく、形容詞形「凄い」のまま用いる事例が非常に頻繁に確認されている（図6）[*6]。これは、教科書的には「逸脱」であり、即ち「間違い」であると評定される表現であるが、当然、実際に多くの人が自然にそう言い、意味が問題なく取れている以上、決して間違いなんかではない[*7]。

そもそも連用修飾をする語類が属す品詞カテゴリである副詞には、日本語では、語形変化しない語彙が多く含まれている。「とても」「すっかり」などなど。動詞は（終止形の）語末がウ段、形容詞はイ、形容動詞はダで終わるという特徴があるが、それ以外の品詞にはそういった縛りがない。とすれば、辞書で見出し語「凄い」に、①形容詞、②副詞として同音異義語を認めてしまえば話は済む。これで現代の副詞的「凄い」は説明が終わる。もちろん、①の形容詞が派生した副詞形「凄く」を用いたい人は、そちらを用いれば良いだけだ。その解決法を拒む人は、「大きい」と「大きな」、「小さい」と「小さな」辺りの不都合から悩み返して欲しい。

漫画が好きなのでもう一例、漫画から紹介しよう。

日本語では、形容詞と敬体の「です・ます」との組み合わせが難しい。動詞は連用形に「ます」を付ければ、「喋る」⇒「喋ります」と敬語にできる。名詞文では、「家内は日本人だ」⇒「家内は日本人です」のように、コピュラ[*8]「だ」を「です」に変えれば良い。

一方で、形容詞は「部屋が臭い」のように、そもそもコピュラが付かない。けれども「ます」は動詞には使えるが、形容詞には使えないので、「*臭くます」とも言えない。無理に丁寧に言おうとしたら、「臭(くそ)うございます」のようにするか、もしくは「臭いです」というコピュラを伴った表現にするしかない。

今時は「臭いです」に抵抗を覚える人も少ないだろうけれども、少し前までは違和感を覚える人も多くあったであろう。「臭いです」を容認しても、「ないです」を拒む、という人もそれなりにありそうで、そういう方々は「ありません」を使えと訴えるはずだ。

臭い	臭かった	臭いです
臭く**ない**	臭く**なかった**	臭く**ないです**／臭くありません
ない	**なかった**	**ないです**／　ありません
言え**ない**	言え**なかった**	言え・・・
言える	言えた	言えます

表１．日本語の敬体と動詞・形容詞

更に話が厄介なのは、日本語では動詞の否定形が形容詞の形になる、という事実がある点だ。「言える」の否定形は「言えない」で、過去形は「言えなかった」。これは形容詞の「ない」に対する「なかった」と並行していて、形容詞型の語形変化である。「ある」と「ない」は品詞が違うのだ。

さて、「言える」の敬体は「言えます」で良いが、否定形「言えない」の敬体は何だろうか。

冷静な人は「言えません」という、「言えます」の否定形を即答するかも知れない。だが、日常的な話し言葉を聞いている限りでは、形容詞の姿をしている「言えない」から「言えないです」を作る話者が非常に多い。表1を見ていただければ一目瞭然だが、「臭くない」「ない」と「言えない」の類似性から、その答えが導かれるのは認知能力的にとても自然である。

だから御子柴くんが図7[*9]のように言っているのを咎め立てるような、規範主義者には陥らないで欲しい。だって、普通に言うもの。え、言えなくないですよね。言えなくないことなくないですか？

生の言葉を相手取ってこそ

僕は言語学者であって、国語の先生ではないので、こうやってナウいメディアに触れて言語を楽しめる。デバイスの普及とインフラの整備によって、誰もが発信者になれる時代になり、緩く少ない検閲で言語情報が放出・拡散される昨今だからこそ、生々しいデータが溢れ返り、時空間に捕らわれずにアクセスできるようになったのだと、前向きに捉えれば捉えられなくもない。部屋でごろごろしつつ、TV番組で街頭インタヴューの音声と字幕との細かな違いに気を留めるでも良い。毎日同じ職場に出向いて同じような仕事ばかりをしていても、果ては家から出ずに仕事をしていても、[*10]見知らぬ誰かの生っぽい言語に触れるチャンスもあれば、通販で買い漁った書籍に新規の言語表現を探るチャンスだって得られる。

図7．動詞の敬体否定形「(動詞) ないです」
(『月刊少女野崎くん』12巻33ページ)
©Izumi Tsubaki/SQUARE ENIX

我々は、常に言語の現場(フィールド)に生きているのだ。

二〇二〇年一〇月一一日～二三日

注釈

*【1】“one chance”に由来し、「ひょっとすると」くらいのニュアンスで用いられる副詞。元々は麻雀打ち界隈で使われていた用語らしいが、そこから格闘ゲーム界隈へ広まって、ネット用語として拡大した。僕はニコニコ動画で、西日暮里のゲームセンター GAME SPOT VERSUS（https://www.nicovideo.jp/user/10629376）の投稿する、格闘ゲームの東西戦や段位戦動画を好んで観ていた中で憶えた。

*【2】ニコニコ動画発祥の表現で、「笑える（もの）」みたいな意味合いの名詞（もしくはナ形容詞）。元々は文末に「(笑)」という文字列を付けて、「笑っている、笑える」といったニュアンスを伝達する文化があった。それが、動画を視聴しつつコメントを打つという状況下で簡略化され、「わらう」のローマ字打ちの頭文字である「w」へと変化した。やがて、文末だけではなく、単独で使用されたり、笑いの度合いによって「www」のように反復して用いられるようになり、「w」の字の視覚的類似性から、「草」に擬えられるようになったものである。その結果、「それは笑える」を、「それは草」などとする表現が生じている。更に幾つもの「w」が並んでいる、誰もが大笑いしている場面を「大草原」と言ったりするようになった一方で、フリック入力や予測変換といった入力デバイスの変化から、本来の「(笑)」と同様の表現としては、括弧なしの「笑」が、戻ってきつつある。

　ネット界隈の言語表現は常に新規性が求められていて流動が早く、例えば「(笑)」に相当する英語表現の *lol* (*laugh out loud*「大笑いする」）なんかも、二〇二〇年一〇月現在では、穏当な *hahaha*（「ハハハ」）やら派手な *lmao*（英／米 *laughing my arse/ass off*「ケツが外れるほど笑ってる」）やらが主流になっている。この本が出版される頃には、それもまた古くなっているかも知れない。

*【3】音楽活動もする四人組の動画配信者グループ。元々はニコニコ動画で活動していたが、後に YouTube へも活動の場を広げ、自作のBGMを一部に使用したゲーム配信動画や、自作曲のMV動画投稿、チャレンジ企画配信などを中心に活動している。二〇二〇年一〇月六日現在、YouTube におけるスーパーチャット（投げ銭）ランキング（PLAYBOARD, DIFF. Inc.）では、世界第八位。全員北海道出身なので、「コーヒー」を発音するとアクセントが頭高（*kṓhī*）になったりする。（ニコニコミュニティ → https://com.nicovideo.jp/community/co212608、YouTube チャンネル → https://www.youtube.com/channel/UCzciBmqDXPE47nOPRrjmo9A、二〇二〇年一〇月現在）

*【4】ニコニコ動画「【日刊 Minecraft】最強の匠は誰かスカイブロック編改！　絶望的センス4人衆がカオス実況！#74【TheUnusualSkyBlock】」（https://www.nicovideo.jp/

watch/sm34776848、二〇一九年三月一五日投稿）。図4の画面は三分〇三秒辺り。

*【5】山口つばさ（二〇二〇）『ブルーピリオド』八巻、東京：講談社。宮下裕樹（二〇二〇）『宇宙人ムームー』一巻、東京：少年画報社。

*【6】仲谷鳰（二〇一六）『やがて君になる』三巻、東京：KADOKAWA。

*【7】もっと言えば、言語学には根柢的な意味で「正しい」・「間違い」を判断する意識がない。

*【8】コピュラ【copula】（繋辞）とは、「A＝B」を示す文などで用いられる述語のこと。日本語では「だ」、英語では *be*、ウルドゥー語では *hōnā*（ہونا）など。これが一般動詞と異なった語形変化を見せる言語も多い。日本語のように名詞述語文（Bが名詞である文）のみに用いられる言語もあれば、英語のように形容詞述語文（同じくBが形容詞の文）などでも用いる言語もある。肯定文ではコピュラを全く使わないけど、否定文や過去の表現では使う、という言語なんかもある。言語は色々ある。

*【9】椿いづみ（二〇二〇）『月刊少女野崎くん』一二巻、東京：スクウェア・エニックス。

*【10】結局、遠隔で業務をこなすそれは、何て呼ぶのが良いのだろう。テレワークなのか、リモートワークなのか、在宅ワークなのか、在宅業務なのかそれ以外の何かなのか。

【緊急】リモート調査チャレンジ

文字・フィールド調査

COVID―19！

その衝撃に、徐に、全世界が震撼した。

世情に疎い僕が嫌な感じを覚えたのは、二〇二〇年に入ってからだったと思う。自分のツィッターを遡って見たら、最初にこの感染症に関して呟いたのは、二〇二〇年一月一六日、日本に上陸したタイミングだった。*1 但し、既に「例の肺炎」と表現しているので、奇妙な肺炎が拡大しているという情報は予てより持っていたことになる。

さて、同時代の読者の皆さんもご存知の通り、この感染症の拡大を防ごうということで、世界各国で国境封鎖や行動制限などの処置が施策された。本節を書いている二〇二〇年一〇月現在では、特段の積極的理由もなく済し崩しのスタンスでもって一部で解除される動きも出てきているものの、緩めたり締めたりしつつ移動制限は継続していると言って良い状況が続いている。

恐らく来年二〇二一年だって、事態は、多少は改善されても、劇的に問題解消とはならなかろう。

そうなると何が起こるだろうか。

「　」研究者

そうなると、生活空間と調査地とを別としている僕みたいなフィールド研究者は、困窮する。

フィールド研究者からフィールドを取り上げたら、無印の研究者になってしまう！

いや、そうではない。データ収集の方法論をフィールド調査に頼っていたので、それが使えなくなったとなると、方法論の見直しや、何なら研究テーマ、ジャンルの見直しまで考えなければ、これまで通りの研究が巧くできなくなってしまったのだ。フィールド研究者－（マイナス）フィールド＝（イコール）しょんぼり研究者、といった風情である。有能な同業者たちはささっと操舵して事なきを得たり、元より多岐に亙（わた）った研究をしていて、ダメージが少なかったりしたようだが、無能な僕なんかはあわあわと泡食って慌てて思考停止に陥って早数ヶ月、みたいな感じであったりもする。

とは言え、いつまでもそんな風におろおろしていても何も解決しないしアカンので、打開策を探ることになる。

僕の調査地はパキスタンの山奥などで、谷によってはまだ厳しい所もあるが、近年は電気・携帯電話ネットワークといったインフラが整ってきている地域も多い。だったら、込み入った調査は難しいかも知れないが、多少のことならリモート調査ができるんじゃないだろうか。時差の問題もあれば、音声通話が苦手ということもあって、試しにSNSの書き込みで単語調査をしてみることを思い立った。ネット上の書き込みであれば、発信のその瞬間だけでなく、後からアクセスした人の眼にも触れるだろう。南アジアと日本とで共通して多く利用されているSNSということで、フェイスブックを活用してテスト調査をしてみることとした。

リモート調査の試み

簡単な内容の調査ということで、未知の単語を集めてみよう。文化に左右されないモノの名称を取りたい。そんなことを考えていたタイミングで、嚙み傷から発症したアフタ性口内炎が僕を大変に苛(さいな)み始めていたので、「口内炎」という単語を取ろうと決める。写真を撮って、「これ、お前の言語で何て言うの？」と、一〇月一八日に不特定多数向けに投稿した。僕のフェイスブック上の友人集団には、ブルシャスキー語、コワール語、シナー語、カラーシャ語辺りの母語話者もある。取り敢えず、誰かが反応してくれたらラッキー、くらいのノリである。*2

すぐに返答が来た。パキスタンの言語保存活動をしている団体で勤務しているコワール語母語話者が、素晴らしいことに、国際音声字母（International Phonetic Alphabets：ＩＰＡ）を用いて、「コワール語では [tsʰatyas] だ」と返してきてくれた。更にそれに続いて、パンジャービー語話者と、東ブルシャスキー語話者二名からも回答があったが、ここで躓(つまず)く。予測はできていたことだったが、この三名は、パンジャービー語は“challay”、東ブルシャスキー語は“gakuul”、“chill galganas”[*3]だと、文字入力の都合からラテン文字で教えてくれちゃったのだ。

（パキスタンの）パンジャービー語には、シャームキー文字というアラビア系の文字での書記法があるが、そもそもパンジャービー語を書こうとする人が多くない。東ブルシャスキー語には文字がない。そのため、この友人らはパキスタンの携帯電話のデフォルト（初期設定）入力方式であるラテン文字を用いて、各言語の単語を綴ったのである。

アクセントは解らないが、“gakuul”は、/gaku:l/ みたいな発音であろうと想像が付く。一方で、“challay”や“chill (galganas)”は難しい。パキスタンは嘗(かつ)て英領インドであったこともあって、ラテン文字で音を書き表そうとする際に、英語っぽい書きかたをしてしまう宿痾(しゅくあ)を患っている。例えば、「ウー」を“u”とか“uu”とかではなく“oo”と書いたり、「イー」も“i”や“ii”ではなく“ee”と書いたりする一方で、「オ」や「オー」、「エ」や「エー」なども書き分けたい。英語と音の体系が異なっているのだから、英語風には書けない区別が多いのだ。結果、書きかたの法則性が薄れ、同じ音を同じ綴りにしなかったり、違う音を同じ綴りで書いたりしてしまう。

そこには、書きやすさ（打ちやすさ）と再現性との板挟みがある。[*4]
カナで書けば「チャ」となる音が、東ブルシャスキー語には四つある（/ʨa, ʨʰa, ʈʂa, ʈʂʰa/）。更に、英語では本来的に存在しない「ツァ」の音もこの言語には二種類ある（/ʦa, ʦʰa/）。これが、英語風のラテン文字スペリングでは、"cha"に集約されてしまうことが多い。区別すべき六つの音が、区別されずに書かれてしまうのでは、いよいよ調査データとしては精度が低過ぎて、役立てられないだろう。

回答者に返信をして、音の詳細を尋ねたが、それ以来回答は杜絶（とだ）えてしまっている。やはり、文字だけで僕の調査言語を調査するのは、効率も悪く、非現実的だ。

音声通話を使えば、もう少し効率が上がったりするかも知れないが、通信での音声状況が良いとは限らないし、僕は耳があまり良くないので、唇の動きなどを見ずに聞き取るのはストレスである。ビデオ通話も結局、映像の画質があまり期待できないし、そもそも通話をすると時間効率が却って悪くなる気もする。訊きたいことだけを訊いて、「じゃあね、バイバイ」とはいかないだろう。

暫定的に遠隔で調査をしようというのは、僕の研究対象としている言語に関して言えば、あんまり悧巧（りこう）な選択ではないと感じる。已（や）むに已まれない状況になったら選択肢に入れても良いかも知れないが、それまでは別の研究手法を摸索する方向性で行こうと、改めて考えたテスト調査だった。

注釈

*【1】二〇一九年一二月二七日に「マスク禁止」に関しての否定的な呟きがあったが、これは別件で、大手スーパーの従業員へのマスク着用禁止令に対するものであったようだ。

*【2】実はコロナ禍（か）よりももっと昔、二〇一三年七月二七日にも、松毬（まつかさ）の写真をフェイスブックに投稿して、東ブルシャスキー語で「これブルシャスキー語で何て言うの？ 知ってる人、教えて！」とやっていたことがあるのを思い出した。今見てみたら、回答として、"faak-e-ghono" とあった。*phaák-e ɣunó*「イチジクの種」……ちょっと違うような気がする。強いて言えば、現地でよく見る乾燥イチジクと質感は似てるけど。なお、これを見ても、綴り字問題はやっぱり重い。

*【3】東ブルシャスキー語の回答が二つに割れているのは、回答者が誤解している可能性、方言差や個人差の可能性、実際に（僅かに意味がずれたとしても）「口内炎」を意味する単語が複数ある可能性などがあるので、それ自体は問題ではない。日本語でも、今回の僕の投稿した写真に写ったものを、「口内炎」と言ったり、「アフタ」と言ったりする（「口内炎」のほうが大きい概念）。「アフタ性口内炎」とだって言える。

*【4】この問題に関しては、《無文字言語の表記法を編み出すには》の節も読まれたい。

二〇二〇年一〇月二二日

翻訳できないことば

意味論・翻訳・文化的背景

噂によると、エラ・フランシス・サンダース著『翻訳できない世界のことば』（創元社、二〇一六年）なる本があるらしい。翻訳できない言葉がある。なるほどな。確かに言葉の翻訳とは、どう足掻いても限界のある作業だ。「太陽」を *sun* と訳しても、ズレがある。

だが、その本ではそういう話ではなく、ただ単に、英語に翻訳しようとしたら一つ二つの単語だけでは言い表せないような単語が、色々な言語にあるぞってことを述べているらしい。しかもどこでどう調べたのか、提示されている語義が……ゲフンゲフン（咳）、いや、とにかく、そういうことらしい。あんまり言うと営業妨害になってしまいますからね。研究者にとっては、間違っている研究を間違っていると指摘するのも研究の一環なのだが、その慣習を一般社会へ持ち込んでは爪弾きにされるだけである。これは一般書、これは一般書……。

なお、その本の原題は"Lost in Translation: An Illustrated Compendium of Untranslatable Words"（翻訳での抜け落ち：翻訳不能な単語の絵付きでの概要）である。この前半のフレーズは割と頻繁に聞かれるもので、日本を舞台にした同じタイトルの洋画もある。ＤＶＤを買って観たが、何だか、大人な雰囲気を描こうとした洋画って感じで、日本人的感性の強い僕ウケはそんなに良くなかったけれど。

翻訳と意味

英語 *translate*「翻訳する」は、本来は「余所（よそ）に移す」といった意味であり、言語間の転換だけを指す表現ではない。媒体（メディア）間の翻案も、場所間の移動も意味する。何はともあれ、単語を単語に置き換えなければならないだなんてルールは、そこにはない。だから、*untranslatable*（翻訳不能）だなんて、迂闊に言うべきではないのだ。

例えば、「粳米（うるちまい）の粉とお湯と砂糖から作られ、食紅で色付けられる和菓子の一種[*1]」と言えば、大体すあまのことだと解る。それでも情報が足りないなら、幾らでも言い足せば良い。もちもちしてて、甘くて、美味しくて、可愛くて、和菓子界の至宝で、糸魚川静岡構造線より西にないとでも言えば、情報としてパーフェクトだと言っても過言ではない。[*2] それでもイメージが湧かないとなると、その人はその実物を知らないから想像できないだけであって、知らないものを想像できていないのと、言語情報に不備があって伝達できていないのとを混同しているだけである。

読者の皆さんだって、『胡桃(くるみ)(の仁(じん))の首飾り』と呼ばれ、ワインと桑の実の粉末とを混ぜ合わせたペーストを、数珠状に繋げた胡桃(の仁)の束に厚塗りして乾かしたスイーツ」と言われ、正確にカラーシャ人の菓子のジャグ *jāghū* の見た目や味を想像することはできないはずだ。だけどそれは、説明された *jāghū* がどういうものかを理解していないのではなく、現地の胡桃や桑やワインの味、塗り付けかた、数珠状といった方式の具体的な様相などが、知らないから一つ一つ具体化しづらく、結果としてその総合体がぼんやりと霞(かすみ)掛かっているだけであろう。

「それなりに葉っぱ量の多い木、または木々の下で、上空から射している太陽光が大部分遮られつつ隙間からチラチラ降り注いでいる、その光」と言えば、かなり客観的に「木漏れ日」という日本語を説明することができる。これを直訳すれば、大体の言語へ「木漏れ日」を翻訳できたことになる。*translatable*(翻訳可能)なのだ。*3

言葉は構造をなしている

反面、言語が相互関係から成る構造体であるということを念頭に置いておきたい。つまり、例えば古い日本語では、色の語彙は「白い、黒い、赤い、青い」の四つのみであった。その言語での「赤」は、白、黒、青と対立している概念としての赤であり、現代日本語が「白い、黒い、赤い、青い、黄色い、茶色い、ピンクい」と七つの色を持っている[*4]中での「赤」とは、本質的に異なっているだろう。

月と太陽とを同じ単語で表現する言語での「月」、蝶と蛾とを同じ単語で言う言語での「蝶」、*draw* と *write* と *scratch* とを同じ言いかたで示す言語での「かく」は、そうでない言語でのそれぞれの表現とは、部分的に重なるけれども、認識の仕方が異なっている。

あまりピンと来ないだろうか。

では、文法構造の話で例えよう。

日本語では、「今行く」と「明日行く」とで、動詞はどちらも「行く」だ。言ってしまえば、現在の動作と未来の動作とを区別しない言語である。片や、例えば東ブルシャスキー語では *mui nicăbáa*「今行く」と *jimale nicăm*「明日行く」とで、動詞は別の形式になる。この場合に、訳し分けたほうが良いのだろうか、それとも、訳し分けないほうが正解なのだろうか。

中学校の英語の授業で、未来形を「〜するだろう」みたいに訳す風習があった。先の *jimale nicăm* を「私は明日行くだろう」みたいに翻訳するのだ。けれども、「だろう」は推測ではないだろうか。そう訳されるべきは例えば、*jimale nicăm dayayabáa*「明日行くだろう［明日・私は行く（未来）・私は推察する（現在）］」などが寧(むし)ろ妥当だ。そもそも、日常の日本語表現で、「私は明日行くだろう」などとは普通は言わない。言ったとしても、「明日行くと思う」程度だ。だがそれは、明白に「明日行く」とは別の概念である。

ヤグア語では、過去の動作を別々の接尾辞で五種類も表し分けると言う（Payne 1985: 244–246)。

-jásiy：最近　*rayąásiy*　[ray-jiya-jásiy]　＝　一単-行く-jásiy
「私は（今日）行った」

-jáy：次近　*rįįnúujeñíí*　[ray-junúuy-jáy-níí]　＝　一単-見る-jáy-三単
「私は彼を（昨日）見た」

-siy：週過去　*sadíichimyaa*　[sa-dííy-siy-maa]　＝　三単-死ぬ-siy-完了
「彼は（ここ一ヶ月以内に）死んだ」

-tíy：月過去　*sadíitimyaa*　[sa-dííy-tíy-maa]　＝　三単-死ぬ-tíy-完了
「彼は（ここ一年以内に）死んだ」

-jada：過去　*raryupeeda*　[ray-rupay-jada]　＝　一単-生まれる-jada
「私は（何年も前に）生まれた」

この言語のこれらの形式を、「ここ一ヶ月以内に死んだ」などと訳したら言い足しが過ぎるし、「死んだ」と訳したら言葉足らずではないだろうか。けれども、*sadíitimyaa* と言ったら、それは一ヶ月以内でもないし、かと言って一年以上でもない、それくらいの距離感の過去の出来事であるという理解が、必ず話し手の脳裏にはあるのである。この「印象」を、どう翻案すれば良いのかは、状況に応じた意訳で賄うしかなさそうである。

言葉による概念の切り分け

世界をいかに把握するかは、言語ごとに異なった色眼鏡を持っている。それが面白くもあり、厄介でもある問題だ。

「昨日」と「明日」とや、「一昨日」と「明後日」とが同じ単語になる言語では、そこに過去か未来かの区別を持ち込んでいない。ただ単純に、「今日と一日違いの日」とか、「今日と二日違いの日」という概念として認識しているのだと理解できる。ウルドゥー語の *kal*（کل）と *parsõ̃*（پرسوں）とがそれだ。*5

ドイツ語では、「歴史、出来事」も「物語」も *Geschichte* である。古典ギリシア語でも、「調査、研究」、「体系的知識」、「語り」、「歴史」は *historia*（ἱστορία）という一単語だった。体系的な調査によって得られた知識を書き表したものが、歴史物語なのである。

日本語では、クマの他に、アナグマやアライグマ、ハナグマなんかも、「クマ」として括(くく)っている。これは擬(なぞら)えだが、それでもクマらしさをこれらの動物に見出して、グループとして認知し得るからこその命名だろう。似ているだろうか。アライグマは蹠行(せきこう)[6]する点でクマと似ているようだが、恐らくアライグマを「アライグマ」と呼び出した人は、そんなところには着目していなかっただろう。

そうやって概念的に括りやすそうなものを同一視して言語表現にするのは、言語のリソースが有限で、世界の事象が無限であるという非対称性から、当然の行いであると考えられる。ベア語で、*aka-* という類別詞[7]的な接頭辞が多義的に「口、言葉、食べ物、木、カヌー、漁夫」といった概念を一括するのだって、その意味拡張の筋道がちゃんと説明されれば、納得できるものだ。

その一方で、その二つの概念は区別しないと難しくないか、という場面もある。カラーシャ語では、*àbi* が、「私たち」と「あなたたち」のどちらも指す。動詞の活用などで異なるので判らなくはないが、「この嫌な仕事、誰がやろうか？」という問い掛けに、「*àbi*！」って答えられたら、指差しとかの非言語伝達が伴わない限り、誤解が生じそうだ。そこは区別しようよ、ってなる。それでもそうなっているのだから、言語は凄い。

英語圏の人たちは、料理をする際に肉は *roast* して、食パンの切り身は *toast* して、焼き菓子は *bake* して、魚は *broil* して、金網に乗せて *grill* する。だが、日本語圏の人たちは、牛肉も海苔もパンも鰤(ぶり)も羊肉も秋刀魚も焼く。その傍ら、湯は沸かすし、卵は茹でるし、米は炊くし、おでんは煮る。片や、ウルドゥー語圏の人は、水も卵も米も、キール[8]だって *ubālnā*

(غلي)「沸かす、茹でる、炊く、煮る」する。

言葉にへばり付いたイメージ

何をどう捉えて束ねたり切り離したりするかが言語ごとに違うように、何の概念にどんなイメージが伴っているかも言語ごとに異なっている。

kadr ullū kī ullū jāntā hē (कद्र उल्लू की उल्लू जानता है)「梟(ふくろう)の価値は梟が知っている」[*9](ヒンディー語)、*sova ne visidit' orla* (сова не висидить орла)「梟は鷹(たか)を産まない」[*10](ウクライナ語)、*č̣əlfit ʼəna sila tägabtäw gugut wällädu* (ጭልፊት እና ሲላ ተጋብተው ጉጉት ወለዱ)「鳶(とび)と隼(はやぶさ)とが結婚して梟を産んだ」[*11](アムハラ語)、*nok khàw thìan táa mɛɛ*(ນົກເຄົ້າເຫັນຕາແມ່)「梟が母親の眼を見て鳴く」[*12](ラーオ語)など、梟を愚か者の象徴として考える言語文化は、僕にとっては意外だったのだが、多い。

昔の中国では、梟は母鳥を食うとして、荒くれ者、不義理者のイメージと結び付いており、盗賊団の首領を「梟帥」などと呼んだりもしていたそうだ。

ギリシア神話のアテーナー、ローマ神話のミネルウァは、ともに知恵を司る女神であるが、彼女らの随伴させている聖なる動物は、同じく知恵の象徴としての梟であった。梟が知恵者であるという発想はアイヌにもありそうで、*kotankor kamuy*「村の神」とも称されるシマフクロウに猟師がヒグマの居場所を尋ねると、そちらを向いて教えてくれるといった話があったりもする（高橋　二〇一四：二一四―二一五）。

最近の日本では、梟は地口で「不苦労」とか「福老」とか言われて縁起物扱いされていることが多い。モンゴルでも吉祥なんだとか、どこかで聞いた。それとは反対に、アフリカのキクユ族やアメリカのアパッチ族など、梟を死の遣いや死者の魂と考える文化もある。アステカの神話でも、梟は死と破壊の象徴であり、死を司る神であるミクテャーンテークティ *Mictlāntēcutli* の頭飾りにも梟の羽が欠かせない。

そうなって来ると、例えば小説『ハリー・ポッター』で主人公ハリーが使役動物として梟を飼うが、その印象は受け手の文化によって大分変わるだろう。梟カフェは日本でこそ流行っているが、梟に悪い印象ばかりを強く抱えている言語文化圏では流行りそうにない。日本で烏カフェは流行るだろうか。*[13]

色々な単語に、様々な言語で、種々のイメージが纏わり付く。

日本で生まれ育っている幼稚園児に晴れた日のピクニックの絵を描かせると、恐らく太陽は赤いクレヨンでぐりぐり塗られる。その土壌によって主に培われてきている日本語では、「太陽」はもちろん赤い。国旗の中央にも赤い円が描かれているし。けれども、ポーランド語で書かれた絵本『大食いクマさん』*[14]（五ページ）では、*słońce*「太陽」が赤くない（図８）。『私の最初のマオリ語の単語』*[15]（二二ページ）での *rā*「太陽」も、『イラスト辞典　英語・パシュトー語[16]』（九ページ）での *nmar*（نمر）「太陽」も、『初めての二言語辞書　コサ語・英語[17]』（二七ページ）での *ilanga*「太陽」も、どれを見ても黄色い。地球において、太陽は唯一無二なのに。確かに地域によって空の色味は違うかも知れないが、日中の太陽の色までそんなに大幅に変わるだろうか。赤でも黄色でもなく、僕には白く見える。

アイヌ語で *rup*「氷」は、*ru-p*「融ける・もの」であるが、日本語で「氷 *kōri*」は「凍る *kōru* もの」である。気候の差に基づき、固体と液体とのどちらを基本として認識しているかが異なって、同じものの名称を逆向きに作っているのだ。

図8．白黒画像では判らないが、ポーランドの太陽は黄色いのだ

グーグルなどの画像検索のできるサイトで、何でも良いのだが、例えば“הירושימה”（ヘブライ語）とか、“हिरोशिमा”（ヒンディー語）とか、“ဟီရိုရှီးမား”（ビルマ語）とか、“හිරෝෂිමා”（シンハラ語）とか、“هيروشيما”（アラビア語）とかで画像検索するのと、同じ地名である「広島」で検索するのとでは、どさっと出て来る画像が随分と異なる。〝히로시마〟（朝鮮語）だと、距離的に近くて観光地としての認識がそれなりにあるからか、諸言語と日本語と

の中間くらいのイメージになる。再確認するが、これは地名であって、（本来的には）唯一の地域を指す言葉でしかない。けれども言語ごとにその名称にこびり付いている印象が露骨に乖離している実情が、こうした検索遊びで浮かび上がる。最近は翻訳サイトも色々な言語に対応し始めているので、地名に限らず、色々な言葉を色々な言語に翻訳して、その訳語で画像検索をしてみると、時間がめきめき溶けて楽しい。試してみて欲しい。

　欧米の印欧語で書かれた小説などの作品には、しばしばラテン語の言い回しが登場することがある。これはもう、どういう感覚なのかがよく分からない。現代日本語の文章の中に「事程左様に」とか、「結論ありきで」とか、「惜しむらくは」とか、古文的な言い回しが使われることがあるけれど、それと同じような印象があると捉えて良いのか、それともそこには、日本語の古文にはなさそうな威厳的なものが込められていたり、お洒落感があったり、知的な光らかしが窺えたりするのだろうか。故事成句を多用したがる雰囲気に似ているのだろうか。[*18] 日本語の現代物小説なんかで若者が、出し抜けに「忝い」などと謝辞を述べていたら、キャラ付けっぽく見えよう。

各人の頭の中の百科全書

辞書には書かれないそういう情報は、百科全書的知識【encyclopedic knowledge】[*19] と呼ばれる概念に包括されている。辞書的知識ではなく、言葉（や構文など）の意味・機能に加えて、その意味する物事と世界との間にまつわるありとあらゆる知識のことを、そう呼ぶのだ。「太陽」と色との結び付き、月や他の恒星と同一視するかしないか、サイズ感、日の出・日の入りや白夜に関する知識、三本足の鳥が住んでいるとか、黒点があったりプロミネンスが噴き上げたり、地球の周りを回っているか地球が周りを回っているか、幻獣に食われて蝕が起こったり、日蝕中の木漏れ日の形も欠けたり、別言語で何と言うかだとか。

こういった、切り分けかたや付随イメージの異なりには、各言語の背景にある文化から影響されている部分もあるかも知れない。全てがそうだと言うわけではないが。

言語と文化との結び付きは、小さい言語のほうが色濃いことが多そうだ。何故なら、小さい言語のほうが限られた地理的・文化的背景の中だけで用いられている可能性が高いからだ。言い換えれば、言語使用の場面の一様性が高い。そうすると、言語内での語彙の特化が進みやすそうだし、言葉のイメージもブレが小さく済んで、反復使用するうちに強化されていきそうなものである。

一方で、語彙量は大きな言語のほうが多くなる傾向にあろう。言語使用のシチュエーションが、話者の置かれている多様な個別の場面に応じて増えるため、新語の産出や、借用などによる導入が必要とされる状況も比例して多くなり、結果として語彙が増加する。反面、文化が多様であるため、特定の生活様式に促されて表現が作られて、それが言語使用者全体へと拡散するという事態が起こりにくい。別の理由から既に共有されている単語に付随するイメージは保持されるだろうけれども、新規に生じるであろう、意味には表れてこない副次的な印象の類は、言語全体での共有とまではいかず、一部コミュニティにおいての保有の枠を出ないだろう。

いや、そんなことを言ったら、そもそも言語の話者全体で共有されているイメージなんてあるのだろうか。山の民に、出世魚のシステムはちゃんと実感を伴った言葉として理解されているだろうか。敬語感覚が薄れて「ら抜き」も日用する平成生まれと、戦前生まれの人との間で、「食べられる」という表現の持つ印象は同じなのだろうか。僕と読者とで、「パキスタン」という日本語地名から心に受けるイメージは同じではないはずだ。言語翻訳に、語義以上の移設を要求してはいけないのかも知れないな。

二〇二〇年一一月一〇日〜一一日

注釈

*【1】ウィキペディア英語版の記事 "Suama"(https://en.wikipedia.org/wiki/Suama、二〇二〇年一一月一〇日閲覧)からの拙訳。

*【2】過言です。

*【3】21_21 DESIGN SIGHT 企画展「トランスレーションズ展」(ディレクター:ドミニク・チェン、開催期間:二〇二〇年一〇月一六日〜二〇二一年三月七日、開催場所:21_21 DESIGN SIGHT Gallery 1 & 2(東京・六本木))にもサンダース氏は参加しており、『翻訳できない世界のこ

とば』の展示をしていた。その展示の書籍の解説文では、英語では「氏の見付けた、直訳できない（impossible to translate directly）表現を紹介」と述べているが、日本語では「翻訳できない表現を集めて、紹介」としている。英文での解説を直訳すれば好手だったのに。

*【4】ここでは仮に、形容詞を持っていることを、色彩語彙の定義とした。緑や紫、橙色などには形容詞がない。

*【5】こういう話をすると、すわウルドゥー語話者は昨日と明日を区別して理解できないのか、といった短絡に陥る人が間々ある。そういう人は、不必要な表現を省略できる日本語と、必ず文法的に要求されている要素は各文で言わなければならない英語とを見比べて、英語のほうがロジカルで日本語は論理的でない、曖昧である、などと世迷言を述べたり、鵜呑みにしたりする。そうではない。ウルドゥー語話者も昨日と明日との違いをしっかり理解はできているが、必要のない範囲内では区別をして言わない、というだけである。例えば、*guzašta kal*（گذشتہ کل）「過ぎた *kal*」と言って「昨日」、*ānē wālā kal*（آنے والا کل）「来る *kal*」と言って「明日」と表現し分けることも可能だ。論理的な思考ができないのは不必要な情報を述べなくても良いとする日本語を話しているからではなく、その人の論理的思考の訓練が足りないだけである。

*【6】蹠（あしのうら）をべったり踵まで付けて歩く歩きかたをすること。ネコや鳥などの歩きは、趾（ゆび）だけで歩くので趾行（しこう）と呼ぶし、ウマやゾウなどは蹄（ひづめ）で爪先立ちをして歩くので蹄行（ていこう）である。

*【7】名詞類を形状や性質などでグループ分けする文法機能を備えた言語要素。例えば日本語の助数詞（冊、枚、本、杯など）も類別詞である。言語によっては、指示詞（こそあど言葉）が類別詞の機能も含み持たなければならない場合もある。例えばベトナム語では、*một quyển sách*「一冊の本」、*quyển sách này*「この本」、*quyển sách nào*「どの本」のどれにも、*quyển*「冊」という類別詞が入る。ベア語では、生産的に単語を作るために八種類の接頭辞が類別的に用いられていて、*aka-* に *baŋ*「地面に穴を掘る」で名詞の *aka-baŋ*「口」が作られたり、同じく *aka-* に *war*「毒」で *aka-war*「ひどく不味い」、*aka-* に *etfe*「駄目にする」で *aka-etfe*「カヌーの舳先（へさき）を切るのに失敗する、言い間違える」、*aka-* に *bea*「泉の水」で *aka-bea*「ベア語」などとなる（Zamponi & Comrie 2020: 101–108）。

*【8】*khīr*（کھیر）。ライスプディングの一種。ミルク粥などとも訳される。米とミルクと砂糖とを煮て作るスイーツだが、デザートとしてだけでなく、食事の一部として供されることもある。フィルニー *firnī*（فرنی）とも言う。

*【9】意図としては、馬鹿者のことは馬鹿者こそが評価できるということ。

*【10】日本語的に言えば、鳶は鷹を産まない。

*【11】思わぬ失敗。

*【12】自分の眼も大きいのに、母鳥の眼の大きさにびっく

りして騒ぐ。蒙昧な輩が自分を棚上げして大騒ぎする。

*【13】日本の市街地での烏のイメージは悪い。一方で、八咫烏など、古来、吉兆を告げる鳥としての役割もあり、一概に嫌われ者だとも言えない。修験道などにも窺えるが、烏を神の遣いと考える山岳信仰も日本各地に見られる。

*【14】Święcki, Adam (2016) *Pan Łasuch Miś*. Warszawa: Wydawnictwo TADAM.

*【15】Morrison, Stacey (2019) *My First Words in Māori*. Auckland: Penguin Random House New Zealand.

*【16】Parnwell, E.C. (2008) *Oxford Picture Dictionary: English-Pashto*. Niaz Muhammad Aajiz (trsl.). Karachi: Oxford University Press.

*【17】OUP Southern Africa (2007) *Oxford First Bilingual Dictionary: IsiXhosa & English*. Cape Town: Oxford University Press.

*【18】そう言えば大学の卒業論文を書く際に、ウルドゥー語・ウルドゥー語辞書を引いていたら、猥褻な言葉がラテン語で書かれていたのを思い出した。敢えて一般人の理解できない言葉を用いて、暗号化していたのだ。

*【19】他に、ほぼ辞書的な、語句の中核的意味と同じであると言っても良さそうな言語知識【linguistic knowledge】と、その言語知識から文脈に合わせて推測される意味範囲の広がりとその推測の道筋を担保する概念的知識【conceptual knowledge】とがある。この辺りは Kiefer（1988: 1–2）などを参照してまとめている。

言語が単一起源ではない理由

歴史言語学・文字・生物学

言語は単一起源ではない。

生命の起源は、それが何に起因しているかに関しては諸説あるけれど、単一であるということはほぼ全会一致の理解であろう。諸説ある生命発生のメカニズムは、創造主を立てたり、地球外からの飛来を仮定したり（結局議論を地球外へと先延ばしにしているだけでは？）、無機物から自然発生する有機物の蓄積とその反応に由来すると考える化学進化説があったりだ。もっと他にもある。いずれにしても、最初の生命が何かしらのイベントをきっかけに発生し、それが種々に進化という名の変貌を遂げていって、生物多様性が現状で確認されている、という風に考えるのが科学的に一般的だろう。[*1]

ヒトとオオサンショウウオとヒマワリとキクラゲとは、似ても似付かない。それでも時間軸を遡ってその変貌の歴史をこの双眸（そうぼう）で眺めることができたなら、いずれ魔法のように姿形が擦り合わさっていき、血を持つものから持たざるものまで、その血脈は合流して、果てには単一の源泉へと至るのを目撃するだろう。ああ、生命みな兄弟だ。

生物の樹形図と言語

言語も、歴史的にある一つの言語から幾つもの言語が派生したりして、変化を遂げる。その言語多様性の獲得は樹形図（系統樹）などを用いて描かれ、生物の多様性獲得と類似したものとして擬（なぞら）えられる（図9）。そうやって図示して、たった一つの祖語[*2]に遡ることができる言語の集団は、「語族」と呼ばれ、家系のように捉えて理解される。例えば、ギリシア語もペルシア語もロシア語も、インド・ヨーロッパ語族のメンバーとして、互いに親戚関係にある。

けれども日本語はそのメンバーに入れてもらえない。日本語は日琉語族に属しているからであり、A語族に属している言語がB語族にも同時に属すことは、基本的にはないからである[*3]。これは結婚や養子縁組などといったシステムが言語にはないためだ。

では、ブルシャスキー語はどうか。ブルシャスキー語はどの語族にも属さない、孤高の言語である。どこにも属さないと言っているのだから、当然、インド・ヨーロッパ語族にも日琉語族にも紛れ込むことは適（かな）わない。

生物の場合、新種が発見されても、根っこを単一とした系統樹のどこかに、必ず押し込められる。これまで知られていたどの種とも異なった特徴を持ち、どれとも似ていなかったとしても、必ず系統樹のどこかに新しく枝を生やしたその先に位置付けられる。何故なら、知られている生物は全てが単一起源であり、故に、知られていない生物も全てが単一起源であるからだ。

　とはいえ、有機物ではない生命が見付かったりしたら、いよいよ単一起源という部分が疑われるのではないだろうか。フィクションなどでは珪素（けいそ）生命体など、炭素の代わりに別の元素が身体を構成している生命体が現れることもあり、生命単一起源に投石をしたりもするけれど、ややもすれば生命の定義まで揺るがしてしまい、目論見の風呂敷が畳めなくなったりもしがちだ。

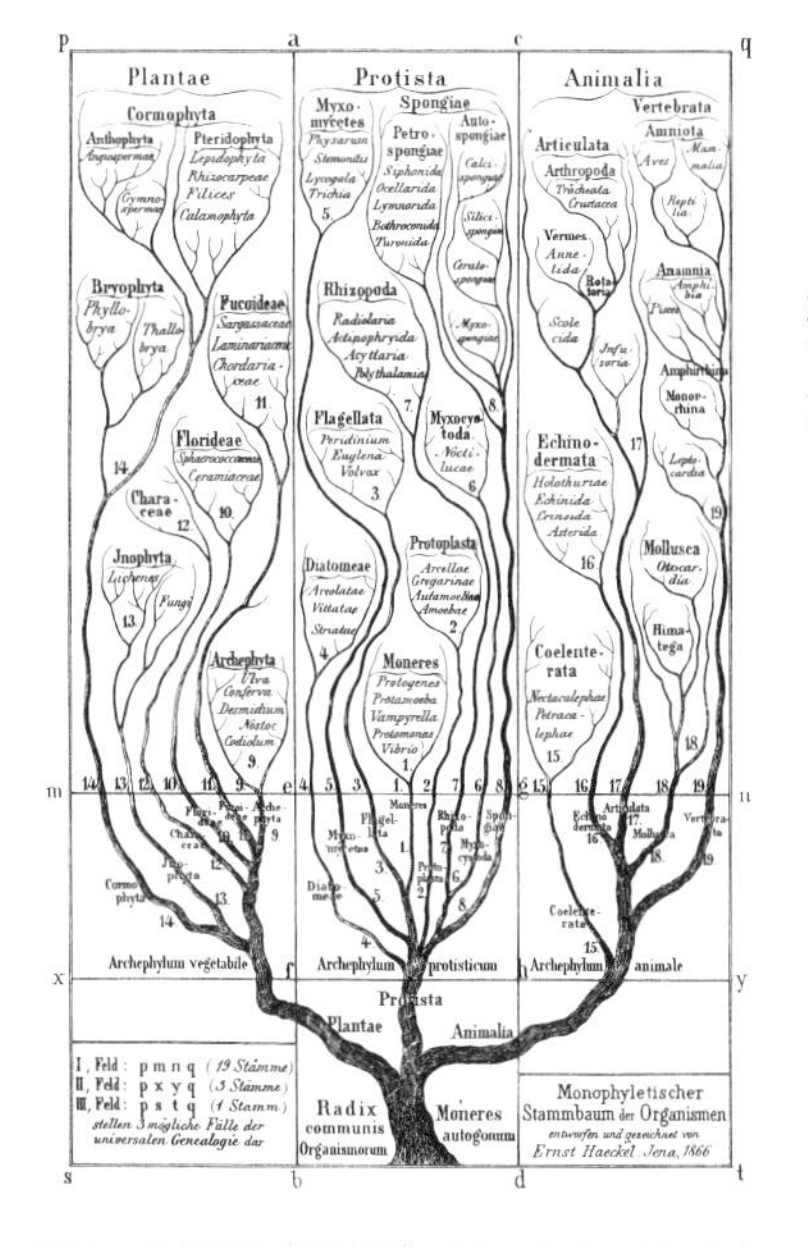

図９．樹形図（系統樹）（Haeckel 1866: 465）

　そういう意味で言えば、手話言語はどうだろうか。言語単一起源派の方々は、音声言語と手話言語も同系統だと言うのだろうか。

　手話言語の起源もよく知らないが、例えば先行して存在していた音声言語の「言語性（言語という概念とその用法なども含めた総体的な言語の理念）」を参考にして、手話言語を積極的に編み出したかも知れない。そうだとしたら、それはそこが起源なのであって、言語から言語が（大概は自然と）派生するそれとは別のプロセスである以上、系統上で同系と見做すことはできない。更に、実際には、手話言語にだって複数の語族があるとするのが一般的だ。

何故、生物の進化学が生命を単一起源としている一方で、言語学は複数起源という結論を導いているのか。

それは、言語の多様性の幅広さに由来する、というわけではない。

「こんなに違うんだから、起源は別に違いない」だなんて、言語学者は言わない。それは生物学的に考えても適切な説明ではないからだ。ヒトとイエネコとマイタケとドクダミとが、こんなにも違うのに同一起源だと言うんだから、異なりの尺度がどれほどであろうとも、理由にはならないだろう。そこではない。

生物と言語との違いは、痕跡証拠の面で大いに異なるのだ。化石である。

生命体の化石、言語の化石

生物の体組織そのものや排泄物などの化石、更に古い生物に関しても生活痕の化石などがあって、そこにいつどういう生命があったかというのが、随分原初の段階からかなり連続的に判明している。勿論、中間種の未発見により進化過程の鎖が一部で環を欠損している箇所（これをミッシング・リンクなどと呼ぶ）もあるが、研究史を見れば、無理のない進化の仮説を穴埋めする発見が追って次々に起こり得ることは、言を俟（ま）たない。

一方で、時間軸を遡って行った先、生命の系統樹の根元の辺りになると、証拠となる化石がない。これは、生命の発生が四〇億年以上前、冥王代に遡ると考えられているからであり、冥王代の物的証拠が化石どころか岩石自体もほとんど残っていないためである。

言語もこれに似ている。痕跡がないのだ。

言語の痕跡とは何だろうか。古生物の痕跡が現生物の中にも見られ得るように、古い言語の痕跡は現代語の中にも探れる。けれども、それとは別に生物にある化石の働きをするものは、言語では、文字くらいしかない。何せ、発話自体を構成する物理要素は、大気を振動させる音声とか、電磁波（可視光）を媒介として伝達する手腕や顔などの動作であって、それらから生痕化石は生じ得ないからである。[*4]

文字は粘土板やパピルス、羊皮紙、葉っぱなどに刻まれたりインクで書かれたりしたものが、古くは何千年も前から残されている。しかし、やがて文字に発展していく文字以前の記号から考えても、一万年も遡れない。生命の化石が約四〇億年遡るのとは全く事情が異なる。

言語がいつ発生したかは、これもまた諸説入り乱れているが、考えかたの一つとして、世界中で言語を持たない人類がないという事実から、遅くとも出アフリカより以前に言語

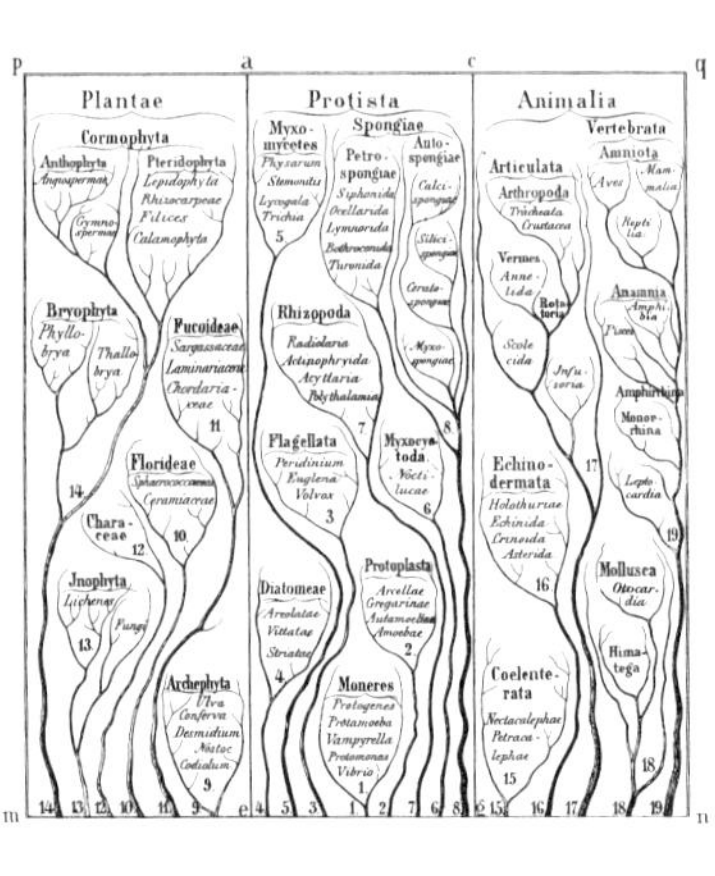

図10．遡るための証拠がない樹形図

（性）を獲得していた可能性が考えられる。約一〇万年前だ。

だとすると、文字が用いられ始めた頃までには、九万年以上も経っているし、その頃までに人類は、ユーラシアを経てベーリング地峡から北アメリカ大陸へ移動し、南アメリカ大陸の南端にまで到達している。当然、言語だって一様ではなかったはずだ。

つまり、言語の化石ができ始めた時点で、既に言語は多様化が随分と進んでいたのだ。生命が、冥王代に発生してから化石ができ始める太古代までの間にさほどの多様化を果たさなかったのと、ここが大きく異なっている。

文字資料に頼るばかりでなく、系統関係にある個別言語同士を比較して検討することで、曾て（かつ）の親言語がどういう姿をしていたのかを推定していく、比較言語学という研究手法もある。けれども、それで再建できる限度は、最も異なる（最も初期に分岐した）同系統の言語が分岐する直前の姿までだ。現状で言われている「語族」同士を結び付けるには、推論に推論を重ねる冒険となり、確度はガクンと落ちる。

先の図9の樹形図は生命の系譜だが、例えばこれを真ん中やや下の線分ｍｎで切って、図

10のように、上の部分だけしか見えなくしたとしよう。すると、一本の大木ではなく、一九本の異なる木（語族）になる。今消去したｍｎ以下の部分に関しては何一つとして証拠がなく、また、今解っている一九本の木の持っている情報から推し量ってもその部分を明らかにすることはできない。その場合に、勘の良い人や夢想家連中が幾ら「これらは単一起源である」と主張しても、証拠も証明もできないのだから、真実か虚構かは誰にも解らない。

そして解らない以上は解るまで黙る、そんな謙虚さがなくては、研究者の姿勢としては誉められたものではない。真偽の判断ができないことに関して我々は、言語学において、沈黙しなければならないのではないか。

二〇二〇年一〇月一九日

注釈

*【1】一方で、宗教的な理由などから創造論などを重視し、進化論を否定する思想もある。その煽りを受けて、イスラーム諸国で二一世紀初頭に、変態を進化と呼んでしまったポケットモンスターのコンテンツが、「進化はクルアーンの無謬性を穢す概念だ」として禁止される事態に陥ったこともあった。進化じゃなく、変態と呼べば良かったのかなとも思ったが、僕がパキスタンの山奥での現地調査で絵本『はらぺこあおむし』を読ませた時に、彼らは蝶の完全変態も理解できていなかったので、多分それでもイスラーム圏では駄目だった可能性がある。変態教育もされていないに違いない。とは言え、「進化」という目立った単語よりは、「変態」という単語のほうが、まだ眼を付けられる可能性が低かったかも知れない。時間の問題かな。あ、創造論者

全員が進化論を全否定するわけでもないので、誤解のなきよう。

*【2】祖語【protolanguage】に関して詳しくは、《ことばの考古学》の節を参照のこと。

*【3】但し、言語接触によって生じる、異なる語族の言語同士の娘言語たり得る、クレオール【creole】などの例外もある。《なくなりそうな日本のことば》の節を参照されたい。

*【4】文字ではなく音声を積極的に刻んで残そうとしたのが、エジソンらによる蓄音機である。蓄音機の媒体は商業化に向けて改良され、蝋管となった。けれども円盤型レコードに負け、蝋管は歴史から消えていく。

淘汰されたプロの喩え話

成句・比喩・諺

あの人は広島に行っちょるけぇの。

山口県で誰かがこう言っていたら、文字通りに受け取ってはならない場合もあるので留意しよう。すなわち、「あの人」が本当に広島に行っていると言っている可能性の他に、「あの人」が本当は亡くなっていると述べている可能性も考えられるからだ。山口方言などで「広島に行く」は、「死ぬ」の比喩でもある。

様々な言語で「死ぬ」は、明言を避けられることの多い表現かと思う。

そしてその代わりに比喩や成句で、婉曲的に迂言(うげん)するのである。

比喩とは、何かを別の物事で譬(たと)えて少々遠回しに言う修辞法であり、成句とは、二つ以上の語がまとまったお決まりのフレーズとして使われる表現である。ちょっと別物のようにも思えるが、どこかですっぱりとは切り分けられないので頭が痛い。多くの人が使う複数の語で構成された比喩表現は、成句とも言えそうだ。

但(ただ)し、魚類が必ずしも卵生ではないように、比喩表現も必ずしも成句の形にはなっていない場合がある。

様々な言い換え表現

「死ぬ」の婉曲では、「天に召される、昇天する」とか、「仏になる、成仏する」とか、「鬼籍に入る」とか、「虹の袂へ行く、虹の橋を渡る」とか、「無（亡）くなる」とか、「行（逝）く」とか、「息を引き取る」とか、「永い眠りに就く」とか、色々な語句表現をする。日本語以外も（和訳して）見ると、「隅に匙を投げる」、「虚空を蹴る、バケツを蹴る」、「余所へ行く」、「苦痛を終える」、「武器を左に置く」、「足を伸ばす」、「楢をやる」、「畑を買う」、「嗄れ声を出す、嘶く」、「列聖する」、「塩漬け卵を売りに行く」、「光を追う」、「草を食む」などなど。書き連ねていて思い出したんだが、似た話は前著（吉岡　二〇一九）でも書いた気がする。言語学者がつい「死ぬ」とか「殺す」とかすぐに言い出すのは、例示として便利だからなのだ。精神が物騒だからではない。

成句も、じっくり考えると「何を言っているんだ?」と思える構成の表現が結構ある。そこで踏み止まらずにもっと考えていると、ゲシュタルト崩壊を起こして正しい表現が何だったか解らなくなってくる。

「手に入れる」は別に、手を切開して中にぐりぐりと捻じ込むわけではない。「歯が浮く」も、リニアモーターカーやシャボン玉みたいに実際に歯が歯茎から抜け出てふわふわ浮上したりはしない。「骨が折れる」も、接骨院に行かなくていいほうの骨折りがある。「猫を被る」だって、猫の毛皮を纏（まと）ったりしたら罪が深過ぎよう。

どうしてこんな不可思議な表現をするんだろう。

「死ぬ」の言い換えは、《例のあのお方》の節で書いているように、タブー的な発想で回避しているというのもあるだろうけれども、それだけでは説明が付かない表現も多い。例えば、敬意を示すために直接的な言いかたをしないという表現選択もある。「来る」、「言う」ではなく、「いらっしゃる」し、「仰（おっしゃ）る」のは、目上の人が行っている動作だから、ぞんざいに言わないように語彙を変えているのだ。敬語表現の中には「お出でになる」などといった成句も含まれていて、一単語だけの短い表現は印象が不躾（ぶしつけ）だったり打切棒（ぶっきらぼう）だったりして、迂遠な言いかたをしたほうが丁寧だ、みたいな発想が、割と共通して色々な言語で窺える。

ウルドゥー語なんかは日本語ほどは敬語が義務的に用いられない言語であるが、それでも、かなりの目上の人には、*bēṭhnā*（بیٹھنا）「座る」でなく *tašrīf rakhnā*（تشریف رکھنا）「名誉を置く」、*ānā*（آنا）「来る」でなく *tašrīf lānā*（تشریف لانا）「名誉を持って来る」、そして単に *jānā*（جانا）「行く」だけでなく *tašrīf lē jānā*（تشریف لے جانا）「名誉を持って行く」という表現を用いるといった実態もある。

見立て・擬え

《翻訳できないことば》の節でも述べているが、比喩や見立てという話になると、言語の背景にある文化・生態環境が強く影響を及ぼす。

例を挙げれば、「雪のように白い」という表現は、赤道直下の地域では決して生まれない。*eko čare khaggavisāṇakappo*「犀(さい)(の角)のように単身で歩まれたい」なんて気の利いた文句も、犀が身の周りにいる地域だからこそ釈迦牟尼(しゃかむに)は思い付いたのだろう。*bunanna fəqr bäṭəkussu näw*(ቡናና ፍቅር በትኩሱ ነው)「コーヒーと愛は熱々だ」という、時機を逃さないように戒める諺だって、茶ではなくコーヒーに例える辺りが、エチオピアという土地柄の表出しているところだ。*šíri badáte jóṭmuc ṣum juán*「シリ・バダト(*šíri badát*)が子供らを食うようだ」なんて、人食い王シリ・バダト*1を知らなければ、何の話だか全く解らない。

もちろん、時代や土地が変わっても不変のものもある。青さの例えで空を使ったり、暗さの例えで夜を使ったりするのは、地球上のどこでも、年間を通して考えれば、空が青く、夜が暗いのを観察できるからだ。けれども、いつでもどこでも共有される認識というのは、そう多くない。(烏(からす)がいる地域なら)どこでも烏は全身真っ黒けだろうと思っていたが、パキスタンに留学してその認識も覆された。パキスタンで一番多く見掛ける烏は、後頭部から腹に掛けてが灰色をしている。*2

そうでありながら、多種多様な文化・生態環境下で話される、数々の言語の間で、類似した寓意の諺が創発している事実もまた、面白い。

朱に交われば赤くなる、医者の不養生、人を呪わば穴二つ、急いては事を仕損ずる、塵も積もれば山となる辺りは、世界的に共通度が高い気がする。次の表現が日本語で言う何に相当するか、読み進めつつ考えてみて欲しい。

ペルシア語　*xodā yā xormā*
（خدا یا خرما）
「神かナツメヤシか」

スワヒリ語　*njia mbili zilimshinda fisi*
「分かれ道はハイエナに勝つ」

モンゴル語　*sahil č ügüy, tuulay č ügüy bolov*
（ᠰᠠᠬᠢᠯ ᠴᠤ ᠦᠭᠡᠢ᠂ ᠲᠠᠤᠯᠠᠢ ᠴᠤ ᠦᠭᠡᠢ ᠪᠣᠯᠪᠠ / сахил ч үгүй, туулай ч үгүй болов）
「戒律もなく、兎もいなくなった」

ウルドゥー語　*ādhā čhoṛ kar pūrē kī taraf bhāgā to ādhā bhī hāth sē gayā*
（آدھا چھوڑ کر پورے کی طرف بھاگا تو آدھا بھی ہاتھ سے گیا）

ハンガリー語

「半分を捨てて全ての方を追ったら半分すら手から落ちた」

ki sokba kap, keveset végez

「何でもやろうとすると少ししかできない」

ネパール語

duī jōikō pōi kunā pasi rōī

(दुई जोइको पोइ कुना पसि रोई)

「二人の妻を持つものは部屋の隅で泣く」

ジュラ語

cɛ fla tɛ se ka kurusi kelen do nyɔgɔn fɛ

(ߗߍ ߝߌߟߊ ߕߍ ߛߋ ߞߊ ߞߎߙߎߛߌ ߞߋߟߋ߲ ߘߏ ߢߐ߲ߜߐ߲ ߝߍ)

「二人が一緒に一本のズボンを穿くことはできない」

パシュトー語

pə yaw lās kṣ̌ē dwē hindwānē na axistáli kéẓi

(په يو لاس کښې دوې هندوانې نه اخستلې کېږي)

「一つの手に二つの西瓜は持てない」

マケドニア語

dve lubenici pod edna miška ne se noset

(две лубеници под една мишка не се носет)

「西瓜を二つ片腋に抱えることはできない」

ポーランド語

nie można trzymać za ogon dwóch srok jednocześnie

「同時に二羽のカササギの尾を摑むことはできない」

古典ギリシア語　*ho dio ptôkas diṓkōn oudéteron katalambánei*
（ὁ δύο πτῶκας διώκων οὐδέτερον καταλαμβάνει）
「二羽の兎を追う者は一羽も得ない」

日本語では、「虻蜂取らず」と言う箴言である。より有名な言い回しである、「二兎を追う者は一兎をも得ず」というのは、上述の通り古典ギリシア語にその表現があるように、実はヨーロッパ由来の翻訳借用【calque】である。

歴々のミームたち

異世界転生物のライトノベルや漫画が昨今、雨後の筍のように大量発生しているが、そういった作品を見ていても、異世界ならではの諺とか、それっぽい比喩とかが基本的には登場しない。これはネタにできるかと思ったが、考えてみたらそれ系じゃない作品でも二一世紀になった辺りからか、少年漫画とかで教養的に突如ブッ込まれる諺は見なくなった覚えもあるので、弱い気もする。火を見るほど明らかではない。

改めて考えると、多くの言語に諺と呼べそうなものがあるのは、不思議なことでもある。どうしてこんな、小洒落た寓意のフレーズ群を、言語系統も地域も無関係に、世界中の言語で発展させてきているのだろう。生活の知恵や教訓などを文字などに頼らず後世に伝え聞かせていくために、誰かがどこかでした巧い喩え話を「そりゃあ良い」って言って、模倣して洗練しつつ広めていったのだろうか。

ミーム【meme】[*3]ってやつだ。

いや、ミームってのがよく分かってないから、好い加減なことを言うのは避けよう。前言撤回。触らぬ神に祟りなしって、あれだ。君子危うきに近寄らずと言っても良いけど、何だか自分を持ち上げているみたいで、不遜で傲岸で居丈高にも見えて鼻持ちならないので宜しくない。

とにかく、何か巧いことを言ったのを聞いた誰かが、余所で自分が思い付いたかのように語り、それを聞いた人が更に余所で感染させて、といった具合に拡散するというのが、諸言語内で似た感じに起こっていたのだろう。そうやって広まるショートショートに輪を掛けたくらい短い寓言（ぐうげん）が、広がると同時にもちろん淘汰もされていき、バトル・ロワイヤルの末に現在まで生き延びているのが、生きた諺なのではないだろうか。

ところで最近、話のネタ以外で諺を使った記憶のある人はいるだろうか。

不図した瞬間に急に思ったのだが、フィクション作品内での減少だけではないのかも知れない。諺を毎日何かしら聞いている人は、善（よ）っ程（ぼど）の風変わりな環境下にあると思える。言語表現の豊かさの一端を担っていると考えても良さそうな諺の類が、日常的に用いられていない現状は、危うくないだろうか。他人事と胡坐をかいたり高鼾をかいたりしていては、脈々と受け継がれてきた知恵の一角が失われていってしまう可能性もある。遅きに失する前に、少し気に留めておいたほうが良いのかも知れない。

ut néerin gáliŋ「駱駝を崖下に滑落させてから道」[*4]をしっかり作っても、駱駝はもう返らないのである。

二〇二〇年一一月一六日

注釈

*【1】パキスタン北部の、現ギルギット・バルティスタン州ギルギット県、フンザ県、ナゲル県辺りを曾て統治していたという物語上の王様。当初は献上品に仔羊を要望していたのだが、ある時、他に比類なき極上の味の仔羊を捧げものの中に見出す。問い質すと、母羊が死んだため、飼い主の女性が自分の母乳で育てたのだとのこと。ならば、ヒトの母乳で育つヒトの子は、仔羊なんかよりもっと旨いに違いないと考えて、ヒトの乳児を年貢に求め、食べるようになった。やがて討伐されるが、毎年その殺された日になると甦ってくるので、今でも現地の人々は、毎年の冬至の日、もしくはその直前の火曜日に、火を焚いて復活を阻止する。

*【2】ニシコクマルガラス（*Corvus monedula*）。近縁種のコクマルガラス（*C. dauuricus*）は西日本でも見られるらしいが、大阪在住七年目にして二〇二〇年一一月現在、僕は未見である。片や、パキスタン北部のフンザ谷にいるカササギ（*Pica pica*）をウルドゥー語で何と言うのかを、パキスタン人の国内旅行者相手に調べたところ、主にウルドゥー語が用いられる地域であるパキスタン中南部やインド北部にカササギがいないからか、*safēd ōr kālā kawwā*（سفید اور کالا کوا）「白黒の烏」という表現が出て来た。そうなると、ウルドゥー語圏でよく見掛ける烏（黒と灰色とのニシコクマルガラス）を、「黒い」と認識している可能性も伺える。

*【3】他の某かの見せた物事を、模倣（mimic）して、再

生産することに端を発する文化的情報のこと、みたいなものである。模倣（mim-）の素子（-eme）ということで、そのまま命名したらミミーム **mimeme* になるはずだけど、生物進化に関する情報単位である遺伝子のことをジーン ***gene*** というのを模して、短くミーム *meme* としたんだとか、そういった話だった気がする。近年では、僕の生活スタイルのせいかも知れないが、「インターネット・ミーム」という表現の中で特に多く耳にする用語だ。詳しくは詳しい人に訊いて下さい。

*【4】「時既に遅し」を意味する、ブルシャスキー語の箴言。***gáliŋ*** という単語は、土砂崩れなどで崖の中腹の道が壊れた際に、茨（いばら）や土や石などを持ち寄って暫定的に修復して固めた道のことを指す。より直訳っぽくすると、「駱駝を送ってから道の修繕」とでもなるか。

無文字言語の表記法を編み出すには

文字・音韻論・文化的背景

世界には七〇〇〇を越す言語がある。

その内の半分以上は文字のない言語である。

エスノローグ（二四版：Eberhard, Simons, & Fennig (eds.) 2021）[*一]は、七一一七言語中の三九六二言語が文字を持っているとしているが、「非常に多くの人が実際に文字を使っていないとしても、文字がある」言語の数だと断りを入れている。そんなのインチキじゃないか？


いや、実際問題、ある言語に文字があるかないかというのは、非常に厄介な話である。簡単に何パーセント以上の話者が用いているいないで線引きできる話ではない。日本語の文字はひらがなとカタカナと漢字だと言っても、実際にはラテン文字だって日常的に多く目にする。流石にキリル文字だのゲエズ文字だのが日本語の文章に日本語の表記として入って来ることは中々ない。けれども、工夫と意欲さえあれば、ティフィナグ文字で日本語を書き表しても良いはずだし、その奇特な人が類稀なるカリスマ性を発揮して、もしも日本語話者の半分以上が賛同してしまったら、ある日突然、「日本語はティフィナグ文字で書かれる」という話になるかも知れない。全く独自の文字を創作して、「これが神代から伝わる文字なのだー」とか言いつつ日本語をその文字で書いたって、他者に迷惑を及ぼさない限りは構わない。

世界中の言語に関して、「客観的」にデータを集めて示しているはずの、先述のエスノローグだが、ブルシャスキー語の項目を見ると、アラビア文字やラテン文字で書かれる言語であると記述されている。現地でブルシャスキー語を日常的に文字に起こして書こうとするヤツなんて、人口の一パーセントにも満たないのに、だ。こんな頓珍漢な資料、信じてはいられない。

その言語を書こうと試みる者がいるのと、その言語が文字を持っているのとは、別だ。そんなことを勘案して、拙著では以前、「一般の話者がある程度一貫して用いるような書記法を持っている言語を、文字のある言語と呼ぶ」と仮に定義したのだった。全体的にふわっとしているが、一般書なんだから話を通すための方便としてそれで構わないだろう。そして、そういう基準で量れば、世界の言語の半分以上は文字のない言語である。僕の調査している諸言語も、ブルシャスキー語を含め、半分以上が無文字言語だ。

文字のメリットと、個別に書かれ始める無文字言語

言語に文字がないことは、何か問題なのだろうか。

言語はそもそも、音声言語であれば音声、手話言語であれば手形などの動作が、言語の一次的な物理的実体であって、文字というのはそれを副次的に写し留めたものに過ぎない。但し、割と持続性の高いツールで書き留められたものが、物理的に一瞬で消滅する発話自体よりも有利な側面もあって、言語によるメッセージを時空間を超えて届けるのに文字は大変役立っている。

要するに、本来はその場限りで一瞬で消滅していた発話が、記録されて残されるようになったのは凄い、ということだ。

だからと言って、文字がある言語のほうが文字のない言語よりも優れているとか、そういった話ではない。同じように、どういう文字を用いているかによって、言語の優劣なるものが左右されたりもしない。

ざっと見渡しただけで、僕の研究室には様々な地域で出版された古今の書籍が並んでいたり、積まれていたりしている。僕は古語・古典を研究したりしているわけではないので、古いと言っても一九世紀くらい以降の書籍しかないけれど。地域として最も遠いのは、多分、南アフリカのケープタウンで出版されたコサ語[*2]の入門書辺りではないだろうか。

これらの資料（や趣味の蔵書）に記載されている情報は、文字が存在するからこそ、こうやって紙に印刷されて僕のところに集まっているのである。助かる。文字サマサマだ。

文字がない言語は文字がないことで不便ではないのかと言えば、きっと大概は不便ではない。何せ、本来はないオプションなのだ。

しかも、既に文字のある大きな言語が土着の諸言語とは無関係に、津々浦々まで浸透してきているという事実もある。大きな言語は利便性が高いので、生活ツールとして、就学・就職の際の武器として、その他諸々の事情で、小さな無文字言語の話者は大きな有文字言語も習得する傾向にあったりする。そうした場合、何かを書き留めなければならない状況では、母語ではないとしても、文字を持った言語で書くことができるのだ。だったら自分の言語に文字がなくても困らないだろう。

図11. 壁の落書き（ヤスィン谷タウス村、2019年）

例えばパキスタンの山奥の無文字言語あれこれ。話者たちは多くが学校教育で国語であるウルドゥー語を学び、あるいは公用語である英語も学んでいる。これら二つの大言語には文字があるので、メモを取ったり、新聞を読んだり、外壁に落書きをしたり、広告を見たり、ＳＮＳに書き込んだり、深夜にこっそりファンシーなポエムを綴ったりできる。何なら一応文字があることになっているし出版物もある（けどその文字の識字率はかなり低い）言語の話者であっても、いざ読み書きをするとなったらウルドゥー語や英語に依存することが多い。

図11はギルギット・バルティスタン州ヤスィン谷で撮ったものだ。この地域は西ブルシャスキー語とコワール語とが半々で話されていて、それらのバイリンガルの村人も多い。そんな中、民家の塀にあったこの落書き。ハートマークの中に書かれている文字は、"شادی مبارک"（*šādī mubārak*）「結婚おめでとう」という、ウルドゥー語である。شادی（*šādī*）「結婚」は、西ブルシャスキー語なら*gar*、コワール語なら*žeri*なので、間違えようがない。

一方で、同州フンザ谷で撮った図12にある飲食店のメニュー看板は、ラテン文字が用いられてはいるが、幾つかの地元料理の名前が書き連ねられている。その名称は東ブルシャスキー語で解されるもので、例えば一番上の"Maltastz-e-Gialing"というのは、*maltáṣce giỵáliŋ*「バターを用いた複数枚のパンケーキ（的な料理）*3」のことだ。つまり、東ブルシャスキー語をラテン文字で書いたものだと言える。同じく、二行目にある"Chap Shuro"は、*čhap šuró*「ミートパイ（的な料理）*4」である。

文字化することの難しさ

図12の例のように、無文字言語を瞬間的な需要に合わせて文字化する行動があっても、それが即ち「その言語に文字がある」とはならない。この辺りがエスノローグの物言いの、ややもやポイントである。

無文字言語に文字を与えようとする動きは、言語の内外から発生する。

文字という概念を知らなかったり、日常生活で文字に触れる機会が少なかったりしたら、文字への欲求は生じないだろう。けれども、別言語であっても文字に触れることが多くなれば、自分の言語を文字で書き表したいという願望は湧き上がっても不思議ではない。

その結果として、既存の何等（なんら）かの文字体系を暫定的に借用して書き出す人もあれば、既存の文字体系に一手間加えて自分の言語に適用させる人もある。言語ごとに、用いる音の仕組みが異なるので、すんなりと借りるだけでは都合が悪いこともあるからだ。そこで、なるべく正確に言語音を書き分けたいと思うか、それとも可能な範囲内で近似させればいいと思うかという、性格や用途の違いから、書き手による文字選択に差が出るのだろう。

図12．飲食店の看板（フンザ谷アルティト町、2019年）

図13は、「ヤスィン谷のナイチンゲール」という名の詩人が、西ブルシャスキー語で作った自作の詩を書いたノートの写真である。写っているページの一番上の行には、ウルドゥー文字で “میشاسکی بٹ غٹم دا گران دوا” と書かれている。これは西ブルシャスキー語の *mišáski but ɣutúm da girán duá*「我らの言葉はとても深くて難しいものだ」を書いたものであるだろう。彼は

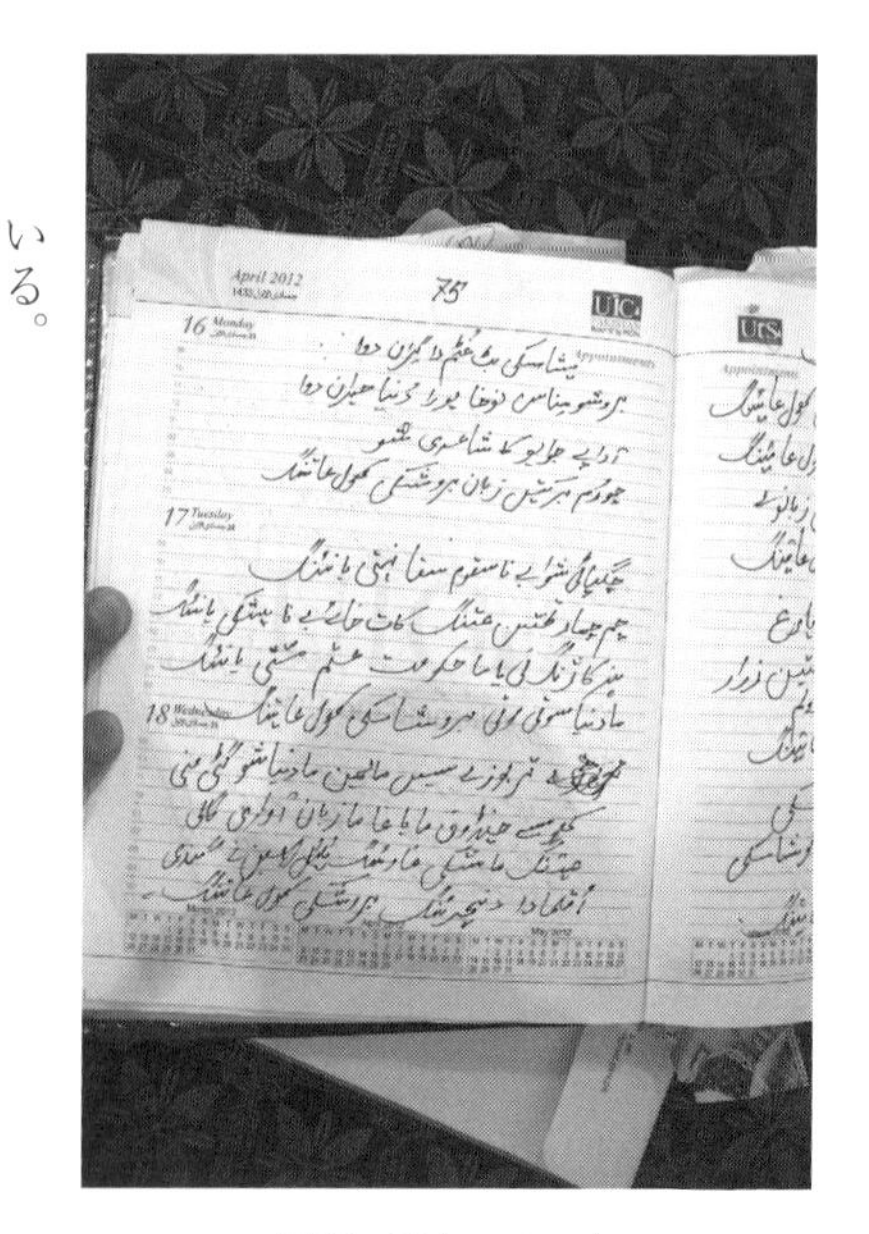

図13. 詩人のノート
（ヤスィン谷タウス村、2019年）

ウルドゥー文字でこの言語を書いて、己の詩を記録しているのだ。但し、彼はウルドゥー語になく西ブルシャスキー語にある音に関して、新しい文字を作ったりはしなかった。その結果、この文とは違う箇所で/ʈʂ/と/tɕ/という別の音に、同じ文字ڇを充てており、区別すべきものを区別していない書記法になってしまっている。

このノートは彼自身が読むために作られているものなので、彼が（文脈などから）間違わずに読めるのであれば、それでも一向に構わない。見慣れぬ新しい文字を創作して、却って「この文字は何の音を表すんだったかな？」などとなってしまうリスクを避けるほうを重視したのだと考えられる。

その一方で、誰かに読ませるための書き物では、極力、誰が見ても違うものは区別して認識できるようにと努める必要がある。日本語で「ねこ *neko*」と「たこ *tako*」は違う生物を指す違う単語なので、日本語の表記で「ね *ne*」と「た *ta*」は別の字で表記するほうが良い。

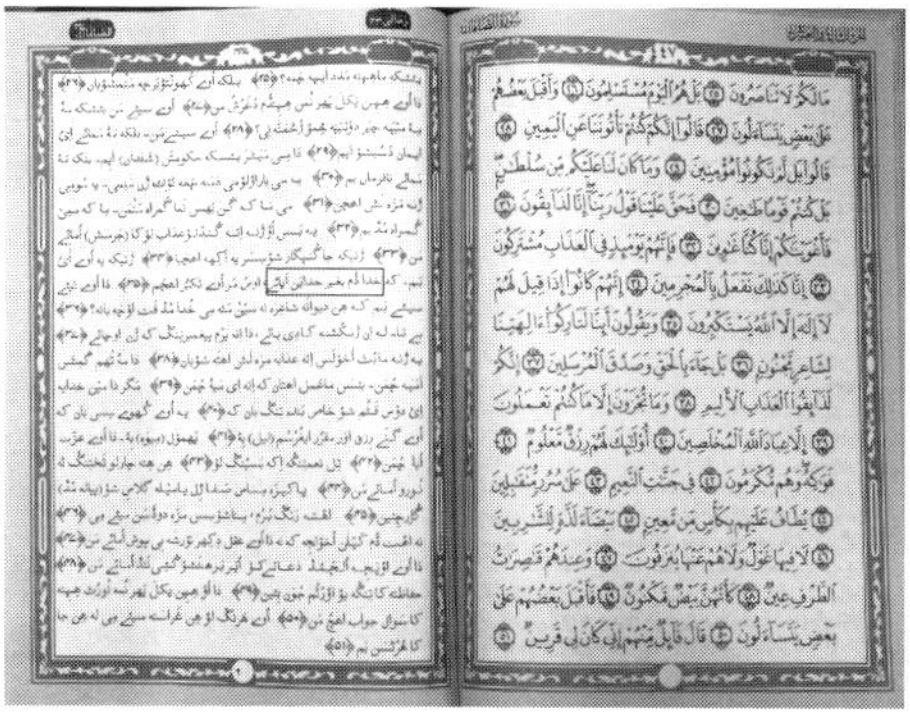

イタリア語で /g/ と /r/ とは対立する音なので、書き分けて表記してやらないと、*gatto*「猫」か *ratto*「大鼠」かが分からなくなって非常に困る。

僕の研究室には、『東ブルシャスキー語対訳クルアーン』[*5] という、世にも奇妙な書物がある。これは市販されていないものだが、書籍として上梓し、誰かに読ませることを目的として作られているので[*6]、その分、文字化も丁寧にされている。いや、それでもウルドゥー文字ベースで作られているので、非母語話者には読みづらいのだが、区別されるべき音が文字上で区別されていて、そういう意味でヤスィン谷のナイチンゲールの手稿よりも、洗練されていると言って良いだろう。

図14. 東ブルシャスキー語対訳クルアーン（447 ～ 448ページ）

図14で、左ページの真ん中辺り、線で囲っている部分には、小さくて見えないだろうけれども、確かに خدائم بغیر خدائن اپای と書かれている。これは *qhudáacum bayáir qhudáayan apái* と読め、東ブルシャスキー語で「神を除いて一柱たりとも神はいない」という意味の文章だ。イスラーム教に少しでも詳しい人ならば、信仰告白（シャハーダ）[*7]の前半部分であると分かる箇所である。

この中の ڎ という文字はウルドゥー文字になく、ウ

ルドゥー語にない /ʦ/ という音を表すために用いられている。詩人が手稿で ڇ (/ʨ/) の字に兼任させていた音を、ちゃんと区別しているのだ。

だが、こういう風に新しい文字を作って区別すれば良いかと言えば、話はやっぱりそう簡単ではない。何故なら、ウルドゥー文字が分かる人にとって、似ている音で代用している詩人の手稿は、何となく本来の発音に近い音で音読することができる。一方で、クルアーン対訳に用いられたその新しい見たことのない文字は、全く音が想像できないのである。ڎ に近い形をしているウルドゥー文字には、ڎ と、ڎ と、ڎ とがある。これらの文字の表す音は、順に、/d, ḍ, z/ だ。類似性から新字の音の類推をしようとしたら、これら三つの音から考えることになるが、それだけのヒントで /ʦ/ に辿り着ける人は、いないだろう。*8

社会的問題と綴り字の癖と

無文字言語は生命力が弱い傾向にある。文字がない分だけ発信力が弱いし、言語衰退を食い止めるために教育を施そうとする段で、面倒でもある。読み書きを一切しない教育手法で言語能力を伸ばそうとするのは、艱難（かんなん）だ。そして、一度杜絶（とだ）えてしまったら、話者たちの自発的に産出した言語痕跡が何も残らない。それは、《言語が単一起源ではない理由》に書いた通りだ。

文字は化石のように後世に蹤跡を残すのに役立っている。碑文は数千年単位で言語を遡れるが、その頃の言語音声や言語手形は全て消滅している。

だから、無文字言語だって文字を獲得したほうが良いという側面があることは、否めない。ちゃんとした文字があって困ることは、基本的にはない。通時的に見て言語変化の速度が変わったりするかも知れないが、それで右往左往するのは言語学者だけであって、話者たちには問題ではない。

とは言え、言語には方言がある。全ての方言の発音をちゃんと網羅できる文字体系が作られれば良いが、そうも行かない。そうすると、文字制定の際に一部の方言だけが優遇される可能性がある。「標準語」に対応した表記法が作られて、非「標準語」にはちゃんと対応していないと、その「標準語」用の文字に矯正されて、方言の発音が変わってしまうかも知れない。それは困る。「標準語」の色眼鏡で見れば「訛り」であっても、ひとたび偏見を取り払えば、それは平等に扱われるべき言語変種での発音の違いでしかないのだから。

言語保存や言語教育にまつわるそういった問題が、文字作成にも付いて回る。

更に、文字体系自体の癖も考えなければならない。

文字体系と言語体系とが巧く嚙み合わないと、不完全な表記法ができあがってしまうし、それは実際に多くある。何を完全、不完全と呼ぶかは議論すべき部分もあるけれど、文字と発音との乖離のなさ、例えば「文字を見れば正しく意図通りに発音ができ、できれば発音を聴けば意図通りの文字に転換できて欲しい」というのを基準に是非を問おう。
まず、英語は駄目だ。勿論英語の綴り字にも法則性はあるが、逸脱も多い。アメリカ英語の現在形の *read* /ɹiːd/「読む」と過去形の *read* /ɹed/「読んだ」なんて、綴りが一緒なのに発音が違っている。正気だろうか。*gaol* /dʒeɪl/「牢獄」も、その単語を知らなければ絶対に読めなさそうじゃないか。ボンバーマン[*9]にでも、ドカンと一発、喝を入れてもらいたい。*hiccough* /hikəp/ なんて、綴り字を睨みつつ発音に耳を澄ませば、ビックリして頑固なしゃっくりだって立ちどころに止まろう。これは多様なルーツから英単語の語彙全体ができているのと、歴史的に音変化が起こったのに綴り字を随時変容させはしなかったところに起因している[*10]。但し綴り字を時代に合わせて変えてしまうと、前時代の文献が読みづらくなるという弊害もある。

日本語のかな文字はそこそこ優秀なんじゃないかと思っても、「は」と「わ」、「へ」と「え」という、文法が絡んだ読みの問題がある。何故「大きい」と「王子」とに含まれている、発音上で区別していない /ō/ の音は、「おお」と「おう」とで書き分けているのか。飲料メーカーの KIRIN が出している炭酸水に「NUDA」という商品シリーズがあるが、カナ書きすると「ヌューダ」だと言う。発音してみてくれ。カナで書かれているけど、日本語の持っている音では賄えない気がする。それに、日本語の表記法はアクセントも明示していなくて不親切だ。共通日本語の *hási*「箸」と *hasí*「橋」と *hasi*「端」とは発音上異なっているのに、かなでは「はし」と統一されてしまっている。*11

アラビア系文字は基本的に、短母音を表記しない。重複する子音も表記しない。けれどもアラビア語を書くのには、文法的なメリットがあったため、良いとは言えなくとも悪くはなかったかも知れない。しかし、イスラーム文化圏全体でその威信的な文字が広まってしまい、言語系統的にも異なるウルドゥー語なんかにもアラビア系文字が用いられてしまった。その結果、“اسی”と書かれても、それだけでは *assī*「八十」なのか *isī*「まさにこれ」なのか *usī*「まさにそれ」なのか判らないという事態になっている。“پتا”も、*patā*「印、住所」か *pattā*「葉、札」か *pittā*「胆汁、癇癪」か判らない。

ブルシャスキー語話者たちはイスラーム教徒なので、上に挙げた詩人ノートもクルアーンも、ウルドゥー文字（アラビア系文字）を基本にして作られている。不便で困る。*ine*「彼／彼女の」と、*iné*「その人が／を」と、*inée*「その人の」とは別の表現なのだが、ちゃんと区別してくれているのだろうか。ちゃんと読んでいないから知らないけれど。けれどもブルシャスキー語話者たちにとっては、学校教育でウルドゥー語を学び、TV、新聞、来訪する国内旅行者など、巷にウルドゥー語が汪溢（おういつ）しているので、アラビア系文字にすっかり親しんでおり、ラテン文字はどうしても「余所者（よそもの）」な存在である。英語を学んで身に付けている者が多く、ラテン文字で書かれた看板が多くても、クルアーンの文字の地位は擢（ぬき）んでて高い。

世界的に最も普及しているラテン文字を除いて、他の文字体系をベースにして新しい表記法を作ろうとするのには、大概、その選択に文化的・政治的な意図がある。イスラーム文化圏がアラビア系文字を好むように。キリル文字ベースで作るのは旧ソ連圏だったりスラヴ系言語だったりするだろう。インドやネパールの少数言語が文字を作るとなったら、デーヴァナーガリー文字を拡張する可能性が高そうだ。翻(ひるがえ)って、そういった威信的な風潮のある地域でラテン文字を選択するのは、また意図が見え隠れすることとなる。

北海道ではアイヌ語で案内が書かれることも多くなった。だがそこでは、ラテン文字よりもカナ文字が多用されている実情がある。二〇二〇年にオープンした民族共生象徴空間ウポポイや国立アイヌ民族博物館の案内のアイヌ語も、拡張カナで書かれていて、ラテン文字は補助的に使われる方針だ。[*12]

日本語の助詞にかな文字の変則的な読みがあるように、文字表記法の制定には、当該言語の文法の理解も大切である。

例えば、分かち書きをするとしたら、どの単位でするのが良いだろうか。語か。句か。はたまた文節とかいうものか。そういった文を構成する要素の単位は、言語ごと（研究者ごと）に定義が異なっている。「国立民族学博物館」は複数要素が合わさってできた単語（複合語）だろうか、それとも複数の語だろうか。複合語は分かち書きするのか、しないのか。寿限無の名前はどうローマ字表記すべきだろう。

区別している音を区別して書きたいとは言うが、どれが区別している音で、どれが区別していない音かも知っていなければならない。RとLとを日本語では区別していないので、/ra/も/la/も「ら」で書いて良い。共通語でガ行鼻濁音とガ行音とも、概ね意味的な区別を生まないので、[13]別にする必要性はない（けど、区別して前者/ŋa/を「か゚」などとすることもある）。ならば「ず」と「づ」、「じ」と「ぢ」だって統一して良いはずなのに、中途半端にしかしていない。不合理ではないか。

派生や屈折などといった形態（語形）操作で、単語の形が変わる言語は非常に多く、その際に単語の一部の発音が変化することも多いが、できるだけ同じ単語は字面で似た形にしたいという欲求も起こるかも知れない。「一、一回、一冊」など、「一」という共通したパーツの発音が、銘々/iti, ik-(kai), is-(satu)/と変化しているのが不愉快だ。「一本、二本、三本」の「〜本」だって互いに同じ要素だが、発音はそれぞれ、/-pon, -hoɴ, -boɴ/と異なっていて、それだけで見たら「パリ *pari*」と「針 *hari*」と「罵詈 *bari*」のように、別物に見える。これを見ると、英語で/fəʊtəˌgrɑːf/と/fətˈɒgrəfə/という、発音上異なっているものなのに、*photograph*「写真」と、*photographer*「写真家」として、綴り上で同じいほうが、優れているような気もする。だって、発音は違ってもその部分は同じ意味を担っている同源の要素なんだもの。

骨折り損は避けたいので

親しみやすさを考慮しつつ、文法にマッチしている文字体系を確立するのは、簡単なことではない。それを普及させるのもだ。それでいて、文字を作ったところで、それがどれほどの恩恵を齎（もたら）すかは、根付かせて運用してみて何年、何十年と経たなければ実感できないだろう。

ああ、人生はびっくりするほど短い。余計なことを画策するのは止（よ）そう。

必要な時に必要を覚えた人が考案すれば良い。その時にちゃんと助力を求められるよう、そして的確なアドヴァイスをして、誰にとっても素敵な表記法を作らせられるよう、界隈で存在感を高めておこうってのが、今の僕の秘かな企みだ。別に叶わなくても構わないんだけどね。

二〇二〇年一〇月一三日～一四日

注釈

*【1】Ethnologue。SILインターナショナルというキリスト教系の非営利団体が、一九五一年より運営している参照用データベースで、当初は書籍形式だったのが、一三版（一九九六年）からか、ウェブ版も構築されている。近年は、毎年情報更新が行われている。二〇二一年二月現在の最新

版が二四版。(https://www.ethnologue.com/)

*【2】南アフリカの公用語の一つ。文字を持ち、ラテン文字での正書法がある。吸着音（クリック）という、アフリカ南部に特徴的な音を持っている言語の一つで、言語名「コサ *Xhosa*」/k‖ʰɔ́ːsa/ の「コ」部分にも含まれている。故ネルソン・マンデラ大統領の母語でもある。

*【3】*maltáṣ*「バター」に接格接辞 -*ce* が付いた *maltáṣce*「バターを用いた」と、*giyál*「パンケーキ」に複数接辞 -*iŋ* が付いた *giyáliŋ*「パンケーキ（複数）」。

*【4】*čhap*「肉」と、*šuró*「パイ」。

*【5】ちなみに、クルアーン（コーラン）はアラビア語で書かれていること自体にも意義があるので、翻訳されたものはクルアーンとは認められない、というロジックがイスラームの教えにはある。ここで紹介しているのは、東ブルシャスキー語対訳の付いたクルアーンであって、開いて右ページはアラビア語、左ページは東ブルシャスキー語となっている。

*【6】但し、この表記法を誰もが知っているわけではないので、誰が読めるのだろうかという疑問がある。この対訳クルアーンに、文字に関する導入部分はない。

*【7】シャハーダを行う、即ち、アラビア語で *lā ilāha illa ʼllāhu, muhammadun rasūlu ʼllāhi*(لا إله إلا الله، محمد رسول الله)「神の他に神はなし、ムハンマドは神の使徒である」とイスラーム教徒たちの前で唱えることが、イスラームに入信する際の最低限の条件にある。この文言は、アフガニスタンやサウジアラビアなどの国旗にも描かれている。

*【8】そもそも、文字の形と指し示している音との関係は恣意的であり、形が似ていれば音が似ているとは言い切れない。日本語の「あ」「め」「ぬ」とか、「わ」「れ」「ね」とかから、一目瞭然であろう。けれども、それすら手掛かりにできないとしたら、いよいよノーヒントである。

*【9】今は亡きハドソン社が、一九八五年にファミコン用ソフトとして発売した痛快アクションゲーム「ボンバーマン(BOMBER MAN)」の主役キャラ。十字型に爆風の広がる爆弾を無尽蔵に設置しては、障壁や敵対者を発破していく。ボンバーマンは爆発的にヒットしてシリーズ化していき、今でも新作が継続して作られているが、英単語 *bomb*「爆弾」が /bɒ́m/ と発音されることからも明白な通り、*bomber*「爆弾魔」も発音が /bɒ́mə/ であって、カナ書きするなら、ボンバーマンではなく精々がボマーマンであるだろう。

*【10】原因の一つに、音素数に対して文字種が少ないからだという主張をする者もたまにあるようだが、そんなのは組み合わせで対処すれば良いのだから問題にはならない。t と h と th と（ht と）で、常に一貫してそれぞれが別の音を指せば良い。何なら t と tt と ttt とを別の音に充てても良い（綴り法則に、例えば tt と t+t の連続とを確実に区別する規則を要するが）。別に一単語は何文字まで、なんて決まりごともないのだし。

*【11】単独で発音すると「橋」と「端」とは同じように思えるが、助詞を後続させると実は異なっているのだということが明らかになる。「箸が」のアクセントは［高低低］、「橋が」は［低高低］、「端が」は［低高高］である。

*【12】例えば国立アイヌ民族博物館のパンフレットには、まず「アヌココロ アイヌ イコロマケンル」とあって、その下に"**an=ukokor aynu ikor oma kenru**"と併記されている。詳しく分析すると、*an=u-ko-kor*［四人称=相互-共同-持つ］、*aynu*［人］、*ikor*［宝］、*oma*［に収まっている］、*kenru*［家］で、「共有のアイヌの宝が収められている建物」みたいな意味だろう。「家」は一般的には*cise*だが、祈りの時などには*kenru*という単語を用いるらしい。

ところで、アイヌ語は文字を持っていると言えるのだろうか。国立アイヌ民族博物館のウェブページには、「現在、アイヌ語はローマ字やカタカナで表記されています。」（国立アイヌ民族博物館「博物館について」、**https://nam.go.jp/about/**、二〇二〇年一〇月一四日閲覧）と書かれている。この「表記されています」は、博物館で、という意味だろうか。それとも、話者たちによって日常的に、という意味だろうか。門外漢からして見れば、教育・普及という目的以外で、例えば買い物メモや落書きなどで、書き文字を常用している人はないのではないかと思う。だとしたら、無文字言語だと思ったほうが良いのではないだろうか。

*【13】「概ね」としたのは、場合によって意味的な違いを反映することもあるからである。これは、連濁した際に和語は鼻濁音になるが外来語はならないという法則があるためで、*ōŋarasu*「大烏」と*ōgarasu*「大ガラス」、*siniŋē*「死に芸」と*sinigē*「死にゲー（操作キャラクターなどが度々死ぬゲーム）」のような意味差が出得る。とは言え、ガ行鼻濁音にしないで発音して、「大烏」や「死に芸」を言い表しても構わないし、近年はそちらの発音が主流である。

例のあのお方

敬語・借用語・音韻論

וַיֹּאמֶר אֱלֹהִים יְהִי אוֹר וַיְהִי־אוֹר׃

そして「光あれ」と神が言うと、光があった。

（創世記　一：三）

日本人は何故だか、「言霊（ことだま）」信奉者が多い。

言霊とは、言葉に霊力があり、言ったコトが実現するので、言論には用心すべしと考える思想である。例えば結婚式で「切る」とか「離れる」みたいな言葉を口にしなかったり、「お終い」と言わずに「お開き」と言ったりするのは、新婚ホヤホヤのそのカップルの縁が切れたり、離れたり、関係がお終いになったりするのを避けるためであると理解される。言（コト）が事（コト）を生む、いや、そもそも、コトは一つなのである。同様に、受験生の前で「滑る」、「落ちる」が忌まれたり、猿を「エテ（得手）」、スルメを「アタリ（当たり）メ」、おからを「卯の花」[*1]と言ったりするタブーなども、言霊思想に由来している。タブーという外来語があることが示している通り、これは別に日本文化に限定して見られるものではない。神が「光」と述べたら、それだけで光が点くのだ。

ナビレ、バッケ、ヤライ、イデコ、クロゲ、イタズ、ヤマオヤジ……。山に入ったら熊をクマ *kuma* と呼ばない、なんていうのもある。これらは熊を、クマと呼ばないで呼ぶ名だ。だって熊は怖いもの。会いたくないもの。日本以外の熊は大人しい、なんてこともあるわけなく、例えば僕の研究に関連しているインド・ヨーロッパ語族（印欧語族）の言語でも、言霊的発想で「綽名【**epithet**】」を用いた、違った言いかたをするようになっている。元々は「破壊する者」[*2]という意味で名付けられていた熊だが、多くの地域で、「蜂蜜を食べる者」[*3]、「茶色い者」[*4]、「踏み潰す者」[*5]、「善き者」[*6]などと、呼び替えられている。だって危ないもの。

これを、迷信深いなぁー、などと一笑に付すのは簡単だ。だが、信仰心を持っていないと自覚している者だって、本当に信仰心を持ち合わせていないとは限らない。うっかり自分も、そちら側に立っている可能性もあるのだから、軽率に無下に扱ったり、木で鼻を括ったような態度を取ったりしないほうが身のためだろう。古臭い、黴の生えたような思想だとか、未開の文化の発想だとか、言ったものではない。そんなことを放言していては、得も言われぬ呪詛に中てられてしまうかも知れないし。

それでも、余り身近に事例が見当たらないと思う人もあるかも知れない。

近年はエンターテインメントの多様化が留まるところを知らず、中々、一世を風靡して誰もが触れたことのあるコンテンツというものを考えるのが難しい。そんな中でも、比較的多くの人が見知っているかも知れないコンテンツで例を挙げてみよう。

ハリポタだ。

ハリー・ポッターと例のあのお方

J・K・ローリングによる小説が原作で、一九九七年に第一巻"Harry Potter and the Philosopher's Stone"（邦題『ハリー・ポッターと賢者の石』）が発売されるや否や、爆発的にヒットし、そこから映画化されて世界中に更に拡散したフィクション作品である、ハリー・ポッターのシリーズ。小説を読んだ、映画を観たというかたは、読者の中にも多くいると思う。僕は映画は四作目くらいで落伍したのだが、小説が多言語翻訳をされているという理由だけで、第一巻を蒐集（しゅうしゅう）している。

流石にもう二〇年以上も前の作品なので、ネタバレも多少は許されるだろうと思って、ここで題材とすることにした。

『賢者の石』の巻では、ほとんどの登場キャラクターが、シリーズの最大の敵である、ヴォルデモート卿[*7]の名前を口にするのを忌避している描写がある。名前が不吉だから、口にしたくないのだ。初登場の場面を日本語版と英語（米語ではない）から引こう。該当部分に筆者が傍線を引いた。

「旦那、すみませんなんてとんでもない。今日は何があったって気にしませんよ。万歳！『例のあの人』がとうとういなくなったんですよ！　あなたのようなマグルも、こんな幸せなめでたい日はお祝いすべきです」（『ハリー・ポッターと賢者の石』[*8]、一一ページ）

'Don't be sorry, my dear sir, for nothing could upset me today! Rejoice, for You-Know-Who has gone at last! Even Muggles like yourself should be celebrating, this happy, happy day!'
("Harry Potter and the Philosopher's Stone[*9]" 五ページ)

こんな具合である。英語の *You-Know-Who* は、直訳すると「あなたの誰だか知っている者」という婉曲的な表現である。多分。英語が苦手なのでそうじゃないかも知れないけど。
つまり、日本語版の「例のあの人」は意訳だ。いや、意訳が悪いわけではない。翻訳は、必ず元の表現と文意がズレる。単語単位で意味が異なるし、構文、語法の癖など、様々な言語ごとに唯一不二の特性があるので、絶対に元の表現と違ってくる。寧ろ、元の表現を一旦捨象して、その言語らしく自然度の高い表現に置き換える「意訳」のほうが理解が良くなる状況も多かろう。翻訳者の自由の翼が大暴れする場面である。

いずれにしても、名前呼びを回避している。

さて、この表現は中々面白い。日本語では『あなたの知っている誰かさん』がとうとういなくなったんですよ！」とは、中々自然には言えない。どうしても、「あの人、あいつ」系の表現にせざるを得ない気がする。他の言語ではどうなんだろう。そう思って、手持ちの五三冊（五三言語[*10]）で総覧し、対照してみようと考えた。

しかし、通りすがりの老人がダーズリー氏[*11]に話し掛けているこの場面の「例のあの人」は、ちょっと見比べてみても面白みが少なそうだったので[*12]、別の「例のあの人」を取り出してみた。第一五章で、主人公ハリーに女友達ハーマイオニー（後述）が話している場面と、第一七章で同じくハリーがダンブルドア校長（後述）に話し掛けている場面とである。

何故これを取ろうと思ったかと言えば、原語である英語の表現 *You-Know-Who* に *you*「君、あなた」が入っていたからである。

英語を学校で勉強していて、「どうして二人称の *you* は、単複同形で、しかも他の様々な複数形名詞と同様に be 動詞が *are* になるんだろうか」と、疑問に思った人はないだろうか。僕は思った。「君」なのか、「君たち」なのかが区別できなくて、非常に不便そうだ。特段、不便に遭遇したことはないが、それは僕が英語を使わないからだ。

これは実は、敬語が関係している。本来的には英語の二人称単数は *thou* で、その be 動詞の現在活用形は *art* である。けれども、複数形を用いることによって敬意を表せる、敬語にできる、という発想があって、複数形の *you* を単数の相手に用いて「お前」ではなく「あなた」とする表現が生じたのだ。やがて、敬語であるという意識が薄れ、誰にでも構わずに *you* を用いるようになって、今や単複同形の二人称代名詞 *you* となり、罵倒する場面でも使っているのである。*13《僕は言葉》の節も参照されたい。

だとすると、日本語みたいに全く別の表現に翻訳されてしまっていては元も子もないが、比較的忠実に訳そうとしている言語の版では、この匿名表現に関して、話し手と聞き手との待遇が関係してきそうである。実際にハリポタが訳されている言語の多くがインド・ヨーロッパ語族の言語であり、その多くに「お前、君」（常体）か「あなた」（敬体）かを区別する敬語表現があるので、第一五章の女友達ハーマイオニーがハリーに言う場面（常体になりそう）と、第一七章のハリーがダンブルドア校長に言う場面（敬体になりそう）とを見比べてみるのには、そういう意図がある。

結果、①二〇言語で敬語による表現差が見られ、②二四言語で差が見られなかった。③日本語を含む、それ以外の九言語では、「あなたの（誰だか）知っている者」から大きく外れた表現になっていた。

例えば①は、印欧語ではウェールズ語の *Wyddost-Ti-Pwy*［君が知る・君・誰］と *Wyddoch-Chi-Pwy*［君たち（＝あなた）が知る・君たち・誰］や、ロシア語の *Sam-Znaeš'-Kto*（Сам-Знаешь-Кто）［自身が・君が知る・誰］と *Sami-Znaete-Kto*（Сами-Знаете-Кто）［自身ら（＝ご自身）が・君たちが知る・誰］との異なりに類似した表現がある。非印欧語では、タイ語が *thaa kɔɔ rúu wâa khrai*（เธอก็รู้ว่าใคร）［君・も・知る・それ・誰］と *aacaan kɔɔ rúu wâa khrai*（อาจารย์ก็รู้ว่าใคร）［師・も・知る・それ・誰］という対立を示していた。タイ語のこれは、敬語とも少し違うか。

②のほうでは、人称代名詞周りで敬語体系のない言語や、敬語体系がありながらハリーからダンブルドア校長の場面でも常体（親体*14）が用いられている言語が散見された。例えばアイスランド語の *Þú-veist-hver*［君が・君が知る・誰］、ヘブライ語の *ʼatá-yodéʻa-mí*（אתה־יודע־מי）［君（男）・（男性一人が）知る・誰］には敬体がない一方で、エストニア語の *Tead-küll-kes*［君が知る・よく・誰］、ヒンディー語の *tum-jāntē-hō-kɔ̃n*（तुम-जानते-हो-कौन）［君が・知っている・君が〜だ・誰］は常体である。バスク語の *Zuk Dakizuna*［君が・知っているところのそれ］は、目下に用いる *hi(k)*「お前」ではなく、*zu(k)*「君、あなた」を用いた親体だ。

③は、中国語簡体字版の *shénmi rén*（神秘人）が「神秘的な人」、中国語繁体字版の *nàge rén*（那個人）や、朝鮮語の *ku saram*（그 사람）が、日本語と同じで「あの人」の意、ラテン語 *Quidam*、ハワイ語 *Mea*、古典ギリシア語 *deîna*（δεῖνα）が「誰かさん」、そしてカタルーニャ語の *Innominable* と、タミル語の *peyar čollappaṛakkūṛāðavaṉ*（பெயர் சொல்லப்படக்கூடாதவன்）とは、「名前を呼んではいけない人」となっている。

最後の「名前を呼んではいけない人」とは何ぞやと思い、改めて日本語版第一巻を読んでみた。実は、集めるだけ集めておいて、ちゃんと読んだことはなかったのだ。で、読んでみて知ったのだが、面倒なことには第五章で、杖屋の商店主がハリーに話す時に、「名前を言ってはいけないあの人（*He Who Must Not Be Named*）」という別の表現がされているのだった。二の名どころか、三の名である。流石はラスボスだ、あの手この手で暈(ぼ)かされている。

毒食らわば皿まで。もう一度五三冊と取っ組み合った。「名前を呼んではいけない人」が何と表現されているのかを渉猟したのだ。その結果、四八言語でほぼ直訳の、「名前を呼んではいけない人」という表現がその箇所では用いられていた。例えばトルコ語の *Adı Anılmaması Gereken Kişi*［彼の名前・それが呼ばれないこと・必要な・人］、アラビア語の *allaḏī yajibu ʾallā naḏkuru ʾismuha*（الذى يجب ألا نذكر اسمه）［ところの・ねばならない・しない・私たちが呼ぶ・彼の名を］などのようにである。他の五言語は、第一五章辺りの、原作では別の表現をしている箇所のそれと同じ名称が用いられていた。

区別する音の違いと借用語への姿勢

こうやって、同じ本の色々な言語に翻訳されたものを眺めていると、どんどんと時間が奪われていく。*15 今の例のように、原語で構造的に複雑な表現を使っている部分などは、言語によって得手不得手が分かれたりするのできっと楽しい。きっと楽しいのだが、いかんせんハリポタの翻訳（なかんづく、手に入っているもの）が印欧語に偏っているために、バリエーションが貧しくて楽しみ切れない。

翻訳作品でこれまた注目したいところは、言語ごとに使う音、区別する音が異なっているという点である。その結果、借用語は借用前の語と発音が異なることとなるのだ。例えば、「イヤホン」「テレホン」「スマホ」とか、駅の「ホーム」とか、「チケット」とか、「ゼリー」とか、嘗て日本でも活躍していたサッカー選手の「エムボマ」氏とか、日本語の音の再現性の低さを遺憾なく発揮していて痺れる。

借用語へのスタンスは言語によって寛大から狭量まで多様で、今の日本はかなり寛容な気がする。何でもカタカナ語にしてしまう。一方で、有名所ではアイスランドが借用語に厳しく、なるべく固有語、つまりアイスランド語で言い換えて、借用を避ける傾向にある。コンピュータなんて、世界中でそう言うんじゃないのかって思うかも知れないが、アイスランド語では *tölva* と言う。これは、*tala*「数字」と *völva*「女預言者」とのカバン語**【portmanteau (word)】**[*16]で、意訳すれば「計算装置」みたいな意味だ。同様に中国語でもコンピュータは *diànnǎo*（电脑）と固有語の表現を持っていて、「電気の頭脳」的な訳しかたになっている。

けれども、固有名などは訳すわけにも中々いかない。先程のヴォルデモート卿の名前呼びを避けた事例ように、二の名であれば訳せるが、基本的には人名や地名など、音を翻訳先の言語の枠組みに当て嵌めて訛らせる、音訳ということになるだろう。吉岡乾という名前が、英語圏に行ったら *Climbing-Up-The-Hill-Of-Luck* に、ブルシャスキー語圏に行ったら *šuá-qismatii-čhiṣaṭe-duisas* になったりなどはせず、*Yoshioka Noboru* とか *yošioka nobori* となるようにだ。

但し（ただ）これもまた、同じ文字体系、例えば漢字ベースとか、ラテン文字ベースとかの言語同士だと、文字に基づいて導入されることがあるので、一概には言えない。例えば日本の、漢字で書ける地名に関しては、中国語にそのままの漢字で（別の発音で）入っている。一方で、中国語からの借用語（漢字語）がある朝鮮語であっても、音に直されて導入されている。最近は都会の電車内で電光案内が日英中韓の四言語表示などをしているので、都会暮らしの人は眺めてみると良い。

ハリー・ポッターと個々のキャラ名

以上を踏襲して、ハリー・ポッターだ。この小説には多くのキャラクターが登場する。今回は、主人公「ハリー」と、仲良しの「ロン」、「ハーマイオニー」、そして庇護者である「ダンブルドア」校長と、第一巻で憎まれ役の「スネイプ」先生の五人の名前に関して、手持ちのコレクションで調査をしてみた。

まずは「ロン（*Ron*）」だ。本名はロナルド（*Ronald*）だが、作中では基本的にロンと呼ばれているし、今回調査した箇所でもそうである。シンプルな名前だし、短いので、これが似た感じにすら発音できない言語というのは、少なくとも文字があってハリポタの翻訳されるような言語では想定しがたい。実際、ほとんどの言語でロン、またはそれに類する名前になっていた。ノルウェー語 *Ronny* やブラジル・ポルトガル語 *Rony* で、何故だか幼名みたいになっているのや、ラテン語ではラテン名っぽくしたかったためか、本名のラテン語形である *Ronaldus* となっていたのが目立った違いであった。中国語版では、簡体字版で *luōēn*（罗恩）、繁体字版で *róngēn*（榮恩）とやや長い名前にされていたが、もしかしたら一文字の名前では文中で埋もれてしまいそうなので、その辺りに配慮したのかも知れない。

一方で、「ハーマイオニー（*Hermione*）」は名前が長い。ギリシア神話に登場する女性ヘルミオネー Ἑρμιόνη に由来している名前で、古典ギリシア語版 *Hermiónē*（Ἑρμιόνη）も現代ギリシア語版 *Ermióny* /ermióni/（Ερμιόνη）も、彼女に対してヘルミオネーの名が使われている。中々この名前は発音が難しく、ラテン文字を用いている言語でも、少しずつ改変されていたりする。女性ということで、ヨーロッパの印欧語で女性名詞が -a で終わることが多いこととの関連から、*Hermiona* とされている言語も九つあった。ロシア語やウクライナ語では、/h/ の音がないため、規則的に /g/ の音に置換されて、それぞれ、*Germona*（Гермона）とか *Germiona*（Герміона）となっている。中国語簡体字版では *hèmǐn*（赫敏）と音写されているが、何故だか繁体字版では *miàolì*（妙麗）となっていて、名前の後半部分だけを音写したのだとしても、/l/ 音と /n/ 音とが合わなくて、どうにも腑に落ちない。

同じく「ハリー（*Harry*）」も、語頭の /h/ がロシア語やウクライナ語で /g/ に置き換わっていて、*Garri*（Гарри / Гаррі）となってしまっている。一方で、/h/ 音を持たない現代ギリシア語では、/x/ 音で置き換えられて *Xári*（Χάρι）となっている。セルビア語キリル文字版でもロシア語にもあるX字で始まる綴りになっているが、ロシア語でこの文字が /x/ 音なのに対して、セルビア語では /h/ 音を表すようになっているので、音としてはセルビア語版の名前は *Hari*（Хари）である。

「ダンブルドア（*Dumbledore*）」も長い名前だ。長過ぎてか、ウルドゥー語では *dambl ḍōr*（ڈمبل ڈور）と二語に分割されてしまっている。もしかしたら、mbld という四子音連続*17を実現させるための苦肉の策である可能性もある。語頭の /d/ の音も、案外持ち合わせていない言語がある。例えば現代ギリシア語には、摩擦音の /ð/（Δ/δ）はあるが、破裂音の /d/ を単独で発音することはない。一方で、鼻音の後で無声破裂音が有声化する音法則がある（/nt/ > [nd], /mp/ > [mb]）。その結果、*Ntámplntor*（Ντάμπλντορ）という綴りで、ンダンブルンドル [ndámblndor] という音を表現する荒業を実行している。また、南アジアの言語では多く、英語の /t/ や /d/ に、舌を反らさない /t/ や /d/ ではなく、反舌音の /ṭ/ [ʈ] や /ḍ/ [ɖ] を宛てる傾向がある。これは、厳密にはその地域の /t/ や /d/ が、舌先を歯茎ではなく歯の裏に宛てて発音する（[t̪] や [d̪] の）音であることに関係している。南インドやスリランカなどで話されているタミル語にも同じことが言えるのだが、更にこの言語には破裂音系列に有声無声の区別がないので、*ṭampilṭōr*（டம்பில்டோர்）と書いて [ɖambilɖōr] となっている。タンビルドール校長だ。

しかも、目を皿にして見慣れぬ言語を調べていった際、こんなのが出て来た。チェコ語 *Brumbál*、イタリア語 *Silente*、ノルウェー語 *Humlesnurr*、西フリジア語 *Perkamentus*。こちらが「ダンブルドア」を探しているというのに、こんな全然違う名前になってしまっては、そりゃ見付けづらいはずである。てこずらせおって。こいつらは一体何なんだろう。*dumbledore*「マルハナバチ」を訳したのだろうかと思ったが、ノルウェー語で *humler* と、近い語形である以外は、それとも関係がなさそうだ。

そして「スネイプ（*Snape*）」である。そう長くないので油断していたが、これもダンブルドアと一緒で、異色の名前にされることが多かった。綴りや音をそのまま使っている言語も多かったが。ウルドゥー語の *isnēp*（اسنیپ）は、語頭に /i/ を付けることで子音連続を分割し、ウルドゥー語本来の音節構造に適合させる伝統的な手法が用いられている。[*18] 英語の *school* がウルドゥー語に借用されて *iskūl*（اسکول）となるのと同じ方策だ。/p/ 音を持たないアラビア語では、*snāb*（سناب）となっている。ペプシコーラが *bībsī*（بيبسي）になるのと同じい。

変名シリーズは校長より豊富で、フィンランド語・スウェーデン語 *Kalkaros*、フランス語 *Rogue*、イタリア語 *Cassandro*、ラトヴィア語 *Strups*、ノルウェー語 *Slur*、ロシア語 *Zlej*（Злей）の七言語である。この作品では、アナグラム【anagram】[*19] を多用していたり、イニシャル合わせをしてみたり、ヨーロッパの伝説・逸話をあれこれ絡めた命名をしていたりするので、その筋から説明が付くのかも知れない。一方で、逆に名前を変えたせいで、その意図が消えてしまう可能性もありそうで、言葉遊びを沢山入れた文芸の翻訳の難しさが懸念される。ギャグ漫画とか、翻訳者泣かせだろうと常々思っている僕だ。

外来語に開拓される発音の幅

うっかり見過ごしていたが、ハワイ語版では英語版の名前がそのまま用いられていた。ハワイ語は言語音の種類の少なさが特徴的である開音節言語だ。[*20] 参考までに次の一覧表（表2）を見てもらいたい。

これらの月名は英語からの借用語であるが、豪い有様である。/s/ も /t/ もないので、英語の *September*「九月」が、ハワイ語で *Kepakemapa* となっている。同じように、*soda*「ソーダ」は *koka*[*21] だし、*stocking*「ストッキング」は *kākini*「靴下」、*Switzerland*「スイス」は *Kuikilana* となる。

それなのに、スネイプ先生はハワイ語でも *Snape* となっていて、[*]*Kanēpa* とかになっておらず、ダンブルドア校長も [*]*Kamapalakola* などにはなっていない（ハワイ語は専門ではないので、これらの偽ハワイ語名は当て寸法である）。英語にすっかり毒されて発音ができるようになってしまったんだなぁ、と感慨深く思ったりもする。

1月	Ianuali	2月	Pepeluali	3月	Malaki
4月	ʻApelila	5月	Mei	6月	Iune
7月	Iulai	8月	ʻAukake	9月	Kepakemapa
10月	ʻOkakopa	11月	Nowemapa	12月	Kēkēmapa

表2．ハワイ語の12ヶ月

近年はおじいちゃんもおばあちゃんも「デズニーランド」とか、「フエルト」とか、「スパゲチー」とか、「テッシュ」とか、「フイルム」とか言わなくなっちゃったもんなぁ。ビルヂングも街から消えつつあるし、キャノンやキユーピーやキヨーレオピンも、発音はキャノンにキューピーにキョーレオピンだ（図15）。ヒロポン（*Philopon*）も今なら「フィロポン」と書かれるだろうし、ヒューズ（*fuse*）も「フューズ」って書きそうだ。

そうやって時代が移り、異言語の音声にも慣らされて発音できる音のバリエーションが増えていく中で、黴臭かろうとも古来の思想である「言霊」なんてのを手放さずに抱えているのも、また人間味があって、いとおかしかろう。ウィキペディアの記事が迅速に更新される如く、日々の暮らしも齷齪としていて草臥れ果てた我々のような外来種が、のんびりした空気と時間とを求めてハワイへと旅行に行く。その傍らで、ハワイ語の *wikiwiki*「早い、速い」がウィキの語源であり、そうだよな、地元民がキッチリと、時にせかせか働いて構築しているからこそ、来訪者はハワイで「のんびりゆったり[*22]」を満喫できるんだよなって、思いは巡る。変わるものと変わらないもの。見えるものと見えないもの。

図15.「ビルヂング」・「キユーピー」

何か感動的な言葉で締めようかと心のままに原稿を書き進めてみているが、終わりの段になっても特にこれといった巧い文句が思い浮かばなくて、だらだらと引き延ばしてみている。取り敢えず無駄な抵抗はやめて、さっさとこの節に終止符を打ったほうが得策だと思えてきたので、僕は「もう良いか」と独り言ちることで気持ちに踏ん切りを付けるのだった。

וְנָבְלָה שָׁם שְׂפָתָם אֲשֶׁר לֹא יִשְׁמְעוּ אִישׁ שְׂפַת רֵעֵהוּ׃

そして、そこで彼らの言語を乱し、お互いに通じないようにしよう。

（創世記　一一：七）

二〇二〇年一〇月二九日～一一月一〇日

注釈

*【1】日本語の「タブー」は、英語の *taboo*「禁忌」が借用されたものであるだろう。英語の *taboo* も、トンガ語の *tapu*「禁じられた、神聖な」を語源として一七七七年頃に生じた借用語である。

*【2】印欧祖語の名詞 *$h_2$rétḱ-os ~ *$h_2$rétḱ-es-「破壊」からの派生、または *h_2r̥tḱós「破壊している」という形容詞からの名詞化によって作られた、*h_2ŕ̥tḱos「破壊する者」に由来していると考えられる。古くは、サンスクリット語 *ṛ́kṣa*（ऋक्ष）、古典ギリシア語 *árktos*（ἄρκτος）、ラテン語 *ursus*、古典アルメニア語 *arǰ*（արջ）、ヒッタイト語 *ḫartakkaš*（[illegible]）、アヴェスター語 *arša*（[illegible]）などに見られ、ノリクム語の人名 <u>arte</u>budz（ΑΡΤƐΒΥ⊗Ι）「熊の陰茎」にも伺える。現代語では、カティ語 *ič*、ワイガリ語 *voč*、ヤグノビ語 *aš*（аш）、パシュトー語 *yaž*（یږ）、シュグニー語 *yūrx̌*、バローチー語 *riš*（رش）、クルド語 *wirç*（ورچ）/ *hirç*（هرچ）、ザザキ語 *heş*、ペルシア語 *xers*（خرس）、タジク語 *xirs*（хирс）、カラーシャ語 *ịč*、パールーラー語 *iṇč*、ガルワーリー語 *rikh*（रिख）、グジャラーティー語 *rī̃ch*（રીંછ）、ウルドゥー語 *rīčh*（ریچھ）、ロマニ語 *rish* / *hirč*、現代ギリシア語 *árktos*（άρκτος）、カタルーニャ語 *ós*、フリウーリ語 *ors*、イタリア語 *orso*、フランス語 *ours*、ポルトガル語 *usso* / *urso*、シチリア語 *ursu*、アルメニア語 *arǰ*（արջ）、コーンウォール語 *arth*、ウェールズ語 *arth*、ブルトン語 *arzh*、アルバニア語 *ari*。別の系統の言語にも伝播しており、タイ語 *rɯ̂ak*（ฤกษ์）、フィンランド語 *karhu*、エストニア語 *karu* や、バスク語 *hartz* も同源の可能性がある。

*【3】スラヴ語派での呼び名。スラヴ祖語で *medъ「蜂蜜」と *(j)ěsti「食べる」とから作られた語形 *medvědь に由来し、古代教会スラヴ語 *medvědĭ*（медвѣдь / ⰿⰵⰴⰲⱑⰴⱐ）、ロシア語 *medvéd*（медве́дь）、ウクライナ語 *vedmid*（ведмі́дь）、クロアチア語 *mèdvjed*、チェコ語 *medvěd*、下ソルブ語 *mjedwjeź*、ポーランド語 *niedźwiedź* などとなっている。別語族に属すハンガリー語でも、借用して *medve* と言う。

*【4】ゲルマン語派での呼び名。印欧祖語 *bʰerH-「茶色い」に由来し（*ǵʰwer-「野生動物」とする説もある）、ゲルマン祖語では *berô「茶色い者」という語形だったと推定されている。西ゲルマン祖語 *berō から、英語 *bear*、スコットランド語 *beir*、オランダ語 *beer*、アフリカーンス語 *beer*、リンブルフ語 *baer*、キンブリ語 *per*、ヴィラモヴィアン語 *baor*、ドイツ語 *Bär*、ルクセンブルク語 *Bier*、イディッシュ語 *ber*（בער）などが派生している。一方で、古ノルド語では *bersi* とか *bjǫrn* とかであり、デンマーク語 *bjørn*、エルヴダーレン語 *byönn*、ゴットランド語 *bjånn*、ノルウェー語 *bjørn*、スウェーデン語 *bjässe* または *björn*、フェロー語 *bjørn*、アイス

ランド語 *bessi* または *björn* などになっている。

*【5】バルト語派での呼び名。バルト祖語の *tlāk-「押す、潰す、打つ」からの派生形 *lākis が再建されており、現代語ではラトヴィア語 *lācis*、リトアニア語 *lokỹs* になっている。死語だとスドヴィア語 *tukas*、古プロシア語 *clokis* など。

*【6】ケルト語派での古い呼び名。ケルト祖語での *matus は、*matis「良い」からの派生語。この子孫として、古アイルランド語 *math* や、ガリア語の <u>*Matugenos*</u>「熊から生まれた」という人名の一部に残っていたが、現代語には受け継がれていないようだ。

*【7】闇の魔法使い。主人公ハリーの額の、稲妻形の傷を付けた人。アルメニア語の *voldemora*（Վոլդեմորթ）、タイ語の *wōldĕmɔ̄r*（โวลเดอมอร์）、イディッシュ語の *voldemor*（וואָלדעמאָרט）など、言語によってはヴォルデモールのような発音で書かれていることも。名前の後半部分が、フランス語の *mort* /mɔʁ/「死」と関連しているとしたら、そう読んでもおかしくない。

*【8】J・K・ローリング（一九九九）『ハリー・ポッターと賢者の石』、松岡佑子（訳）、東京：静山社。

*【9】Rowling, J.K. [1997] (2017) *Harry Potter and the Philosopher's Stone*. 20th anniversary edition. London: Bloombury.

*【10】念のため、五三言語を以下に列挙する。本書で述べていない面白い現象が訳文中に出現している訳書があるかも知れないが、手に入れていないので指摘できないことを予め断るためである（未入手版を譲ってくれる方も募集中）。アフリカーンス語、アメリカ英語、古典ギリシア語、アルメニア語、ブルトン語、カタルーニャ語、チェコ語、イギリス英語、フランス語、ガリシア語、ドイツ語、現代ギリシア語、ヒンディー語、アイスランド語、アイルランド語、イタリア語、ラテン語、ラトヴィア語、リトアニア語、低地ドイツ語、マラーティー語、ノルウェー語、オック語、ポーランド語、ブラジル・ポルトガル語、ポルトガル語、ルーマニア語、ロシア語、スコットランド語、セルビア語キリル文字版、セルビア語ラテン文字版、スペイン語、スウェーデン語、ウクライナ語、ウルドゥー語、ウェールズ語、西フリジア語、イディッシュ語（以上、インド・ヨーロッパ語族）；アラビア語、ヘブライ語（アフロ・アジア語族）；エストニア語、フィンランド語（ウラル語族）；ハワイ語（オーストロネシア語族）；日本語（日琉語族）；朝鮮語（朝鮮語族）；中国語簡体字版、中国語繁体字版（シナ・チベット語族）；タミル語、テルグ語（ドラヴィダ語族）；タイ語（クラ・ダイ語族）；トルコ語（チュルク語族）；ベトナム語（オーストロアジア語族）；バスク語（系統的孤立語）。

*【11】バーノン・ダーズリー。ハリーの伯母の夫であり、育ての父親。

*【12】他にも理由があって、解らない言語の文章の中から、当該箇所を探し出す難易度の低さに鑑みてのチョイスでもある。語学の達人とかじゃないんだし、日本語以外は母語

じゃないから解らないもの。

*【13】品のない表現なので本文中では例示していないが、例えば「くたばれ」的に用いられる *Fuck you* や、「ちくしょうめ」みたいなニュアンスの *Damn you* という表現など。*you* が含まれているからと言って、敬意を含意して「くたばって下さいませ」、「地獄にお落ちになられませ」などという丁寧な表現になっているかと言えば、全然そんなことはない。

*【14】言語によって、敬語体系の区別する概念は変わる。目上の人に敬意を表すものもあれば、目下の者をぞんざいに扱う時の呼び名がある言語もある。必ずしも敬体ではないからと言って、敬う気持ちが含まれていないとは言えず、敬っている親しい人に対して、馴れ馴れしい呼び掛けをする言語もある。そういう場合は、常体（敬意を表していないスタイル）ではなく、寧ろ親体（親しみを込めたスタイル）として、疎遠な人への丁寧な話しかたと区別しているのだと理解したほうが良い場合もあろう。

*【15】最近、ハリポタではなく『星の王子さま』を題材に、やっぱり多言語対照を楽しんでいる本（風間・山田 二〇二二）なんかも出版された。言語学の入門パートも含まれていて、きっと面白いに違いない。

*【16】造語法の一種で、最も狭義では、単語Xと単語Yとを組み合わせる時に、Xの前半部分とYの後半部分とをくっ付けて新語を作る手法、またはその手法で作られた新語のこと。インターネット上で女性のフリをしている男性を指す「ネカマ」（ネット+オカマ）とか、バーチャル・アバターのYouTuberを意味する「VTuber」（Virtual+YouTuber）などがある。豹（*leopard*）の父親と獅子（*lion*）の母親との雑種をレオポン（*leopon*）と命名するのも、カバン語だ。混成語【blend】とも言う。

*【17】とは言え、ウルドゥー文字は短母音を表記しないので、本当にこれが四子音連続なのか、それとも *ḍam:bal ḍōr* みたいに母音が挿入されてしまっているのかは、実は決して判らない。

*【18】もう少し丁寧に説明すると、まず、ウルドゥー語では語頭に子音が並ぶのを許さない。英語の *Snape* /sneɪp/ はウルドゥー語にそのまま入れようとすると、*/snēp/ となるはずだが、そうすると音節構造はCCVC（Cは子音、Vは母音）で、子音連続始まりとなってしまう。そこで、母音 /i/ を頭に足して、/isnēp/ とすれば、VC.CVC（"." は音節境界）となり、ウルドゥー語の禁則に違反しない、という寸法である。

*【19】もしくは anagramme。綴り字を入れ換えて、別の言葉にする遊び。

*【20】音節構造が母音で終わっているの（英語なら *tea* /tiː/ とか *go* /gəʊ/ とか）を、開音節と呼ぶ。一方で、子音で終わる音節（英語なら *cat* /kæt/ とか *come* /kʌm/ とか）は閉音節である。多くの言語が閉音節を多用する一方で、

日本語のようにあまり閉音節の出て来ない言語や、ハワイ語のように全く閉音節を持たない言語もちょいちょいある。ハワイ語みたいなのを開音節言語などと呼んだりもする。日本語の閉音節の例は、「言語 *geŋ.go*」や「月光 *gek.kō*」の第一音節（"." は音節境界）や、「本 *hoɴ*」など。

*【21】ソーダがコカという音になっているが、勿論のこと、コカ・コーラ（*Coca-Cola*）とは無関係である。

*【22】何故か日本では、「のんびり、ゆっくり」みたいなイメージの言葉として、ポレポレという表現を好んで用いている組織や施設、店が散見される。これはスワヒリ語の *polepole*「緩やかに」が語源らしいが、何がきっかけで流行ったのだろうか。その謎を解き明かすため、調査隊（単独）はアマゾンへと向かい、散財をするのだった。（なお、謎は解かない。）

英語5文型
第1文型：SV
第2文型：SVC
第3文型：SVO
第4文型：SVOO
第5文型：SVOC

どうして文法を嫌うのか

言語と文法

どうして文法を嫌うのか。

多分、うら若き時分に受けた授業のせいであろう。

個人的な経験から言わせてもらえば、英語の授業が嫌いだった。理由もなく詰め込まれる「文法」情報が、テストのためとはいえ、記憶するのに楽しくなかったということばかりを覚えている。[*1] あまりにも嫌だったので、英語の授業をサボったこともある。家が中学校からそれなりに近かったので、「体調不良なので早退する」と言って英語の授業前に帰宅し、英語の授業が終わった頃合に「体調改善したから再登校（遅刻）した」と言って教室に戻ったりもした。中途半端に不真面目だが、とにかく英語の授業がそれくらい嫌だったのだ。

テストでも、英文が示されて、「第何文型か答えろ」などと問われる。どれが主語でどれが目的語でなどと分かっても、はて、SVOOが第何文型かが分からなければ、正解できないのである。案の定、SVOO文型と書いてペケを貰った。余計に英語の授業が嫌いになった。誰が、「私は今から第四文型で発話をするぞ、うおぉ！」などと考えて話すだろうか。

パキスタンの某国立大学に半年間留学していた時、大学の寮に入った。パキスタン人寮と、外国人寮という名の中国人寮との二択だったので、パキスタン人寮に。その際のルームメイトは二人のパンジャーブ人で、彼らは大学に英語を学びに来ていたのだった。そのため、大学での英語の授業に使われていた教科書を見せてもらえたし、授業内容も教えてもらえた。

パキスタンの大学の英語の授業は、日本の公立中学校で僕が体験したのとは全く異なっているようだった。曰く、「例えば接続法なら、接続法が用いられている例文を数十個、丸暗記する。これで接続法の単元は終わり」とのこと。大学だから、というわけではなさそうだ。日本だとどちらかと言えば、接続法の使いどころの説明に始まり、代表的な変化形を学んで、色々な動詞を語形変化させる練習を例文問題でやって終わり、みたいな感じではなかっただろうか。ううむ、ちゃんと授業を聞いていなかったから、思い出せもしない。

両国のどちらのやりかたが良いかは、学生の好みにもよるだろう。僕は、この場合は日本のやりかたのほうが好きかも知れない。パキスタンのやりかたのほうが「丸暗記」度合いが強いからだ。だが、パキスタンでは「第何文型」なんてのを学んだりはしない。そういう意味ではそっちのほうが好みだ。

日本の英語の授業では、「文法」と称して、何故なのか、本来言うところの文法以外のことまで教え込もうとする。そのせいで、不必要に「文法嫌い」の人を量産してしまっている可能性がある。

ルールは類推を可能にし、表現力を爆増させる

言語は、文法と語彙から成っている。

だから、文法を毛嫌いしていても、言語学習上でメリットがない。そして文法嫌いを生み出していても、教育上プラスはない。

文法とは言語のルール、法則である。法則を知れば、応用が利かせられる。それまで知らなかった新しい単語を知った時に、それを巧く文中に盛り込むことができるのは、法則を把握していればこそだ。

例えば、謎の日本語文「私は明日びーぐる。」に触れたとしたら、恐らく多くの日本語話者の方は、「びーぐる」という部分を一つの未知の動詞だと理解するだろう。そして、その否定形は「びーぐらない」だし、命令形は「びーぐれ」だと予測するのではないだろうか。更には新しい動詞も作れ、「びーぐれる」は可能動詞だし、「びーぐらせる」は使役動詞だろう。法則を知らなければ、予測は立たない。

あるいは、「ぽまる」という動詞を新規で知ったとして、事前に別途「ぽめる」という他動詞の存在を知っていたら、あなたは「ぽまる」を「ぽめる」に対応するの自動詞だと臆測しないだろうか。[*2] これまで全く聞いたことのなかった表現のはずなのに、意味まで推測が利

くのだ。何と末恐ろしい読者諸氏の推理力だ。ともすれば全米も震撼しよう。いずれ天下を取るかも知れない。

言語は日々変化するし、誰もがどこかで聞いたような言葉を述べつつ、一方で新規性や独自性を求めて一風変わった表現を工夫したりもする。同じルールの中で枠から外れたがる性質は、広く一般に共有されていないだろうか。そしてそうすると、分かるようで分からない新表現に遭遇することだって、日々の暮らしの中ではあるだろう。けれども即時的にそれがある程度は理解できるから、コミュニケーションは程好い刺戟（しげき）を保持しつつ成立していくのだ。毎年、年の瀬に先駆けてマスメディアが新語・流行語大賞などと刹那的な言葉を論（あげつら）ってやいやいやったりするのも、「我々グループは他者とは異なった言葉を用いていて特別」という意識や、「余は流行に敏感であるわけであって、乗り遅れてるぽまいら[*3]情弱[*4]乙[*5]」とマウントを取りたがる根性やらを発露する一部市民の言語活動があってこそなのである。彼らのパッションを止める権利は、誰にもない。

新しい表現は、何も若者ばかりが作るわけではない。

我々が言語で表現したいことは、時に、既存の表現で賄うにはしっくりこない場合があったり、語彙力が不足していて的確な表現が思い浮かばないこともある。そんな時に、手持ちの武器は、売り物の辞書には程遠い収録語数の脳内辞書と、文法知識と、創作性とだけである。今、研究室の手許の書籍をパッと見てみたら、会話内で咄嗟に作られた表現が通用する現象について論じている論文（鈴木　二〇二二）があり、「など屋」や「なんかめっちゃコンサート行きましたアピール」という語句が紹介されていた。新語だ。だが、文脈の支えがあれば、それなりに理解できる。既存のパーツから単語を造り出す時にも、ちゃんとルールがある。「など屋」を「屋など」としては、造語者にして発話者であるその人物の意図は、伝えられなかった。

新表現を書き散らかす

書き言葉になると、どうしても規範意識が脳裡をチラチラしてしまうので、「逸脱[6]」と呼べそうな表現は出にくくなる。小説などでの会話文も、漫画の会話文であっても、案外、新表現というのは控えめだ。話し言葉のほうが見付けやすいのだが、データとして探しづらいのがネックである。[7]

次の実例なんかは、VTuber[8] 宝鐘（ほうしょう）マリン氏[9]のネット配信で見付けた例である。まずは傍線部分に注目してみて欲しい。

（5）分かるかぺこら[10]、このさー、自分の好きなカップリングのジャンルが、しけ散らかしてる時の苦しみ、分かる？　ぺこらに。（「酒呑んでエモいウチら[11]」、一時間〇〇分一〇

秒〜一六秒辺り）

（6）船長確かにちょっと今、プレイングが雑になってた。何か、諦めがね。さっきので、萎え散らかってたとこがあった。でも、萎え散らかしちゃダメ。どのプレイも全力投球しなきゃね。（「ノーコンティニューで続々クリアする！！[*12]」、一時間三五分五四秒〜三六分〇八秒辺り）

あまり一般的な用法ではない日本語表現だが、ルールは明白であるし、順を追って考えれば理解も難しくない。見ただけで「あー」と納得できてしまった人だってあることだろう。だからこそ配信中にこういう表現をしたところで、視聴者はそう戸惑わない。

このような動詞の連用形に「散らかす」が付いた形式は、例えば、「投げ散らかす」、「蹴散らかす」などがあるだろう。これらは、何かを投げて散らかしたり、何かを蹴って散らかしたりするという意味を、透明度高く帯びている。ここで躓く人は恐らくないだろう。

次に、「食い散らかす」を考えてみる。これは、前の二つとは少し異なり、本来「食う」といった動詞は、対象物の移動を含意していない。けれども、何かをガツガツ食べた結果、食べ滓やら食器やらが散らかることはあり、そのさまを表現しているのだと理解できる。

更に次に、「禿げ散らかす」だ。この表現も、若干口の宜しくない誰かが身の周りにあったりしたら、一般的に聞く言葉だろう。これらは、前の三つとは異なり、ベースになっている動詞「禿げる」は、自動詞である。対象物を取ることはできない。だが、「食い散らかす」が食べ滓などが散乱するのを表していたのと似ている部分があり、髪がどんどん禿げた結果として、残った髪の毛が疎ら（まば）に散らかったりするさまを表現しているのだと理解できる。

そこで、あまり耳馴染みのない、僕は宝鐘マリン氏の発言以外で聞いた憶えのない、「しけ散らかす」（5）と「萎え散らかす」（6）である。「禿げ散らかす」と同じように自動詞がベースになっていて、しかもあまり前向きではないニュアンスの意味合いが「しける」、「萎える」には備わっている。禿げ散らかして疎らに髪が残るには、広範囲に亙（わた）って大々的に禿げなければならない。ならば、創作ジャンルとか気分とかといった対象範囲の広域に亙って、しけたり萎えたりした結果、過疎状態が発生していたり、ぺんぺん草も生えないくらい不毛な状態に陥ったりしていることを、ルール化に基づく類推で「しけ散らかす」、「萎え散らかす」と表現したい気持ちは理解できる。

更に「〜散らかす」ルールで新表現を作る気風が瀰漫（びまん）して、「カレーが黴（か）び散らかす」とか、「ゲームがバグり散らかす」とか言い出す人が出現してもおかしくないだろう。そしてまた、その表現の担う意味機能の中核がズレていき、ルール適用範囲もそれに沿って変わっていって、日本語の文法の一部が発展していくのだ。

たまに、そういった感じで気に入った、一風不思議な表現を、僕も好んで採用していったり飽きていったりしている。次の日本語を作るのは、今の日本語話者なのだ。などと夢見がちに語ってみたが、まぁそう意図通りに影響が及ぼせたりはしないよねぇ。

なお、例文（6）の波線部分は「萎え散らかす」ではなく、「萎え散らかる」だ。

他動詞ベースの「玩具を投げ散らかす」を「*玩具が投げ散らかる」にするのは無理だろうけれど、「料理を食い散らかす」を「?*料理が食い散らかる」にするのは、若干、容認度が高い気がする。『食った結果の状態が散らかっている』という読みだ。

一方で「禿げ散らかす」という自動詞＋他動詞表現は、「頭を禿げ散らかした男」を「頭が禿げ散らかった男」にしても、割と自然な気がする。これらは常に、「頭」の持ち主が「男」自身であり、このように二通り言い換えても、意味的にも大きくは違わない。[*13] ある意味では自動的でも他動的でもなく、中動的[*14]になっていると理解できる。「萎え散らかす」も、「萎え散らかる」と割かし自在に言い換えられそうだし、意味的にも概ね同じであると理解できるだろう。

この辺りの表現に関してはもう少し思うところがあるのだが、あまりこの事例に拘泥して話を長くするのも無粋かと思うので、いずれのチャンスを期して、今は措いておこう。

深掘りで文法は面白くなりだす

斯様（かよう）に、文法知識は我々の理解力や表現力をがっしりと支えてくれる。

話者たちが自由闊達に言語活動をして、使うことによって言語が少しずつ変貌を遂げていき、それなのにやっぱりお互いに共通して理解ができている自然言語。その中に秘められているルールも緩やかに変容をしていっているのだが、依然としてそれはビックリするほど良くできたシステムになっていて、そういう点も含めて文法、延(ひ)いては言語ってのは、大変面白い。[*15]

手放しに面白い面白いと誉めそやすと引いてしまう人もあるかも知れないので、あんまり言わないようにしようと思うのだが、一部学校教育の悪影響で「文法が嫌い」と自分の感情を断定してしまっている人がいたら、勿体ないと感じるのは本当だ。自分に合ったやりかたで文法というものと向き合ってみると、案外悪くないかも知れないぞってことだけは、伝えておきたい。

だからそう嫌わないでやってくれまいか。

何で僕が擁護目線なんだかよく解らんけれども。

二〇二一年一月二六日〜二八日

注釈

*【1】語句丸暗記型の科目は全般的に嫌いだ。だから社会科も、地理であれ歴史であれ公民であれ政経であれ、点が取れなかったし、知識も身に付いていない。これは科目の問題ではなく、授業のやりかたの問題かも知れないが。知識だけを詰め込んだところで、物知りにはなれても知恵者にはなれない。義務教育では、もっと知恵を育んで欲しい。

*【2】ここで使っているのは「嵌める」と「嵌まる」、「泊める」と「泊まる」、「狭める」と「狭まる」などの対からの類推である。日本語の他動詞・自動詞のペアは、これ以外にも色々な組み合わせがあるので、他動詞「ぽめる」のみから対応する自動詞の形を確実に推定するのは、叶わない。ペア・パターンの対抗馬候補として、「開ける」に対する「開く」となるパターンがある。

*【3】「ぽまいら」は、「おまえら」を意味するネットスラング。決して敬意と共に用いられることはない。

*【4】「情弱」は、「情報弱者」を略したネットスラング。情報収集力のなさを蔑む際に好んで用いられる。

*【5】「乙」は、「お疲れ（さま）」を略したネットスラング。見下したニュアンスが含意される場合と、含意されずに透明な態度の場合とがある。

*【6】ここでは逸脱という言葉を用いはしたが、実際のところ、それは文法の枠組みの外側へ飛び出しているわけではなく、文法の持つ柔軟な可塑性の範囲内を最大限に活用して、「規範」のド真ん中からはズラしたかな、程度に応用したものだと言ったほうが妥当だろう。文法からちゃんと外れるのは、難しい。例えば、非文（非文法的な文）を咄嗟に意図して作ろうと思うと、慣れるまでは中々に手強いことなんかからも、無意識に保持している文法の拘束力の強さは窺い知れる。

*【7】加えて、動画配信サービスなどの動画などが、書籍などと比べてあっさり消滅しがちであるという点も、データ参照の継続性などの面で難しい側面がある。僕が電子書籍、音楽の電子データ配信などを極力利用しないでいるのは、紙媒体やCDなどよりも信頼していないからである。定額制会員限定サービス（サブスクリプション）を利用しないのも、サービス内容が急変して、視聴したいものが配信停止になったりする可能性があるからだ。薬物で捕まったミュージシャンの音楽が停止されたりする度に、SNSなどで苦情を訴えている人が多く出るのに、それでも皆が利用し続けているの、理解に苦しむ。物を買いなよ、って思っちゃう。

*【8】読みは「ブイチューバー」。Virtual YouTuber の略で、本人の表情や動作をキャプチャで読み取って、二次元画像や三次元モデルで作られたアバター（仮想身体）をガワ（仮の外見）として動かす演者が出演するスタイルの、YouTube

を始めとする動画配信・視聴サービスでの活動を専らとしているキャラクター存在のこと。

*【9】カバー株式会社が運営するVTuber事務所ホロライブプロダクション所属の三期生の一人。二〇一九年八月一一日に配信デビュー。例文（6）にある通り、自分のことを「船長」と呼ぶ。呼称については、《僕は言葉》の注釈4も参照のこと。

*【10】コラボ（共同）配信相手の兎田（うさだ）ぺこら氏。宝鐘マリン氏の同期で、カバー株式会社が運営するVTuber事務所ホロライブプロダクション所属の三期生の一人。二〇一九年七月一七日に配信デビュー。

*【11】YouTube配信「【#夜更かしぺこマリちゃん】酒呑んでエモいウチら【ホロライブ／宝鐘マリン・兎田ぺこら】」（二〇二〇年一二月二八日ライブ配信。アーカイブ動画：https://www.youtube.com/watch?v=FKGTsCroetw）。

*【12】YouTube配信「【東方風・地・星】ノーコンティニューで続々クリアする!・!【ホロライブ／宝鐘マリン】」（二〇二〇年六月九日ライブ配信。アーカイブ動画：https://www.youtube.com/watch?v=0vSXTsHUhrQ）。

*【13】但（ただ）し、違う形式になっている以上は、必ず、意味的に何か異なった表現となっている。

*【14】中動態【middle voice】という用語がある。これは、能動【active】と受動【passive】との中間的なもので、例えば行為者が自分自身を対象として何かの動作を行う場面などにおいて、言語によっては能動でも受動でもない表現の仕方を取ることがあるのである。再帰、反射【reflexive】など呼ばれることもある。例えば、ギリシア語の *metapémbō*（μετᾰπέμπω）「私は（ある人へ）遣いをやる」に対する *metapémbo-mai*（μετᾰπέμπο-μαι）「私は遣いをやって自分のために（ある人を）呼び寄せる」とか、*loúō*（λούω）「私は洗う」に対する *loúo-mai*（λούο-μαι）「私は入浴する、自分の体を洗う」など。とてもざっくりとした言いかたになるが、ヨーロッパの言語には、再帰代名詞（的な要素）を用いてこれを表現する言語も多い（フランス語 *se*、ドイツ語 *sich*、ロシア語 *-sja*（-ся）など）。例えば、他動詞 *odevat'*（одевать）「（誰かの）身支度を整える」に対する、自動詞 *odevat'-sja*（одевать-ся）「（自分の）身支度をする」など。なお、「中動」、「中間」みたいな名称が用いられている用語で、色々な専門書などがアレコレいっているが、ここで言うものと全く別の概念を指している場合などもあって、ややこしいので、留意が必要である。

*【15】「文法はエンタメだ」とまで言い切る、ガチ恋的な文法推しの新書（橋本 二〇二〇）などもあるので、本節を読んで関心を少しでも高めることに成功した方は、そちらを手に取ってみても良いだろう。本書よりも体系立って、もっと踏み込んだ文法の話が、一般向けになされている一冊である。

軽率に主語を言えとか言う人へ

主語と主題と主格

君ねぇ、主語をはっきり言いなさいよ、「ちょっと取って下さい」だけじゃ何取ったら良いのか伝わらないよ〜？

――などと、誰かがうだうだ嫌味たらしく言ってきたら、「求められているそれは主語ではなく目的語です」とそのねちっこい人に言い返してみましょう。ただでさえ悪い空気が、更に剣呑になること請け合いです。

今のは架空の嫌な男性上司Q（仮）にご登場いただいたのだが、まぁリアルにネットに、日本語使用の場面において「主語が抜けている」現象を指摘したり、自発的に己の非として言及して謝ったりする人は多々ある。

例えば、積極的に用例を捜し歩いていたわけではないのだが、趣味で視聴していたVTuber尾丸ポルカ氏[*1]のネット配信「雑談（ママ）を理解した[*2]」で、タイミング良くこんな発言が採取できた。

（7）あれね何か色々先輩とかに訊いたんだけど、ま、要はホントに、あ、初……ああ、主語が抜けてるーっ、うゔーっ！あの、初配信の話に戻るんですが、あのー私、枠取りに、えっと、失敗して、それの原因の一つがもしかしたら、肌色面積が多いからなのではないかってゆーとこ。（三三分四〇秒～三四分〇一秒辺り）

（8）私、最近つばさプロのプロデューサーだけど、やっぱり、ナムコ最高だなってこの前思った。あのー、あ、アイ、あ、主語が抜けてた。えーと、アイマスの話をします。*3『隣で…』が好きなんですよ。あずささんの歌。（五八分〇四秒～五八分三四秒辺り）

この（7）は、初配信での放送枠の取得の失敗のことを彼女が先輩方に訊いた場面、（8）は、それまでと話題が一転してアイマスの話になった場面での発話であって、どちらも「主語の抜け」に自覚して、それを吐露している。だが、見ての通り、主語が抜けていると述べた後に改めて宣言しているのは、「初配信の話」とか「アイマスの話」とかであるということであって、前文に主語として復元できる要素ではない。彼女はこれ以外の箇所でも「主語の抜け」を口にするが、いずれも同じである。

冒頭の嫌味な男性上司Q（仮）氏や、尾丸ポルカ氏は、どうしてこれを「主語の抜け」と呼ぶのだろうか。

これは推測でしかないのだが、学校教育の国語の授業で散々聞かされた、何だか文章で大事な部分を担っていそうな概念としての「主語」というのが多くの人の脳内にこびり付いてあって、それを言い逃したら文意が曖昧にぼやけて伝わりにくくなってしまうような体言

（名詞類）を、取り敢えず、重なる部分もあるからという甘い認識が作用したりしなかったりして、一緒くたにしてそう呼んでしまっているのではないかと思われる。

そして言語学者らはこういった発言を聞く度に、ももやどろっとした澱か泥のような鈍色の不快感をぐぐっと嚥下して口外しないように努めている。

取りたい訳でもない揚げ足が、向こうからずんずんと迫って来るのを懸命に掻い潜って、口を噤んでひっそりと社会に溶け込まんとしているのだから、無闇矢鱈と「主語の抜け」を訴えないで欲しい。

主語とは何か

上で述べた上司Q（仮）氏や尾丸氏のそれは、主語でないなら何なのだろうか。

そもそも、主語とは何だろうか。

日本語には主語が要らないとか、ないとか提唱している書籍なども散見されるが、言語によってあったりなかったりするものなのだろうか。

それに関しては数々の一般書が既に述べているところであって、改めて本書で解説しなくても良いだろうと、逃げたくもなるけれど、本書が初めての言語学関連啓蒙書の類であるという稀有な読者がある可能性も微レ存[*4]なので、改めて平易に主語を語ろう。学校教育を受けた記憶が鮮明な人であれば、国語の時間や英語の時間を思い起こしつつ読んで欲しい。

一般に主語とは、述語の表す事象が主にそれについて述べている文中の要素のことである。

何を言っているのかサッパリ解らないかも知れない。

そもそも、主語とは何かという疑問に対しては、あらゆる言語学者が頭を悩ませ、十人十色の答えらしきイメージを持っているのが実情である。その最大公約数みたいなイメージが、「述語の表す事象が〜」とまとめたそれである。

まずは英語で実例を挙げつつ考えてみよう。多分、そのほうが解りやすい。

（9）*Megumi resembles her mother.*「恵美は母親に似ている。」
（10）*This cat is really cute.*「この猫、マジ可愛い。」
（11）*It rained yesterday.*「昨日は雨が降った。」

これらの例文で、傍線を引いたのが主語である。英語の場合はざっくり言って、文頭に出て来る名詞類が主語であり、（9）にあるように、主語が三人称単数で述語が現在形の場合には、動詞に *-s* が付くのだと英語の授業の初期に習ったはずだ。（10）には述語として *is* が登場しているが、be 動詞の現在形が *am, is, are* などと変化するのも、主語が何であるかに依存していた。動詞 *rain*「雨が降る」なんかは、（11）のように、何だかよく分からないけど取り敢えず何かしらを主語として据えないとならないから、*it*「それ」という代名詞を主語にしている。

このように、英語はとことん主語を使いたがるし、主語がないと文が作れないとさえ思える[*5]。

一方で、日本語の文では、本来の意味での「主語の抜け」が許される。つまり、次のような言いかたが自然な発話であり得るのだ。

（12）またトイレにスマホ落として、泣きたいんだけど。
（13）食べられないなら食べなくて良いよ。
（14）見た感じ折れてはいなさそうだねって言われたんだけどさ。

この（12）〜（14）では、主語が何者であるか、つまり、誰が泣きたいのか、誰が食べられないのか、何が折れていなくて、誰が言われたのか、述べられていない。けれども、だからと言って主語が何かは不明瞭で悩ましいだろうか。場面さえ判れば、大体解りそうではないか。

状況を含む文脈的に明瞭ならば、言わなくても解りそうなことはわざわざ言わなくても構わない言語というのがある。日本語だけではなく、たくさんある。ブルシャスキー語だってそうだ。勿論、言って構わない場面では言っても良い。（12）の主語を明言したければ、例えば（12′）のように、言える。

（12′）またトイレにスマホ落として、僕は泣きたいんだけど。

もちろん、状況次第で読みが変わるような文だって、日常会話には度々出て来る。「泣きたい」なら大概が一人称だが、「泣きそう」だと「私は泣きそうだ」も「君は泣きそうだ」も「彼女は泣きそうだ」も言えて、語形からでは人称が絞り込めない。だけど、他の手掛かりから誰が泣きそうなのかが推察できるなら、主語を言わないことが多いだろう。「Xが寒そうにしている」とか「Xが仰（おっしゃ）った」という文があったら、Xに入るのは二人称か三人称に限られる。私は中々寒そうにしないし、私は仰らない。

日本語はそういう風に、述語（動詞）の形で幾らか、主語を読むことができる。英語でも、先ほど述べた三単現の -s や、be 動詞の形式など、同じく僅かに手懸かりがある。けれども日本語では主語を言わなくても良く、英語では主語を言わなければならない。ブルシャスキー語では、述語が主語の人称や数で随分と語形を変えるので（表3）、述語を聞いただけで、主語が明言されなくても、かなり明白である。

二人称複数と三人称複数は同形だが、それ以外は全て別の形になっているので、主語を明

	単数	複数
1	*níčabáa*「私が行く」	*níčabáan*「私たちが行く」
2	*níčáa*「君が行く」	*níčáan*「君たちが行く」
3.HM	*níčái*「彼が行く」	*níčáan*「彼（彼女）らが行く」
3.HF	*níčubó*「彼女が行く」	
3.X	*níčibí*「それ（具象物）が行く」	*níčié*「それら（具象物）が行く」
3.Y	*níčilá*「それ（抽象物）が行く」	*níčicán*「それら（抽象物）が行く」

表３．ブルシャスキー語フンザ方言の*ní-*「行く」の現在形

言しなくても、誰が行くのか、勘違いのしようがない。それなのに敢えて、主語を常に述べ立てる必要があるだろうか。特に一人称単数と二人称単数とは、話し手と聞き手なのだから、いちいち「私が」だの「君が」だのと言う必要はなさそうである。三人称というのは、一人称でも二人称でもないもの全て（猫も犬も夢も星も風も土も光も時も）なので、三人称であるというだけでは情報量が少ない。

さて、ここまでの話で明言しないまま主語の話をしたが、主語が何かを分かっていなかった人も、多分そろそろお気付きだろう。ある文の表現している出来事に関して、「{誰／何}がなの？」という疑問を投じた時に、その答えとして「Yが（だ）」と言える部分がその文の主語である。大体は。

助詞の「が」が付いたものは？

日本語では、「はがのをに」の「が」が付けられるのが主語である。これはざっくりとした説明であって、実際には真

ではない。

以下、新しい概念が続出するので頑張って欲しい。

まず、文の中で登場する名詞類が、その文の中でどのような役割を担っているのかという その立ち位置を示す形式のことを、言語学の用語で「格」という。「格」は形だ。一つの文の中に、二つ以上の述語（動詞類）が出て来ることはそう多くないが、一つの文の中に、二つ以上の名詞類が登場することは多々ある。三つも四つも出て来るのだって、ザラだ。だから、それぞれの名詞がどういう立場で舞台上に立っているのかを、こっちは二番手、そっちはサポート役などと、親切に形の上で導入するのだ。

さて、国語の授業で格助詞の一つであるとして習った日本語の「が」が何かと言えば、その格を明示するための目印、標識の一種であって、「が」は色々ある格の中でも「主格」という格を示している。大事なので何度でも言うが、「が」が付いている形式が、「主格」だということを表しているのである。

主格とは何かと言えば、主語として用いられることが多くある、メインどころの役目を文中で果たす格のことである。必ずしも主語ではないけど、主語であることが多い。

だから、日本語では「が」が付けられるのが主語である、というのは大まかな近似であって、「が」が付いているから主語だ、とは言えない。主語でなくても、「が」が付けられていたら、その名詞はその文では主格という、メイン級の立場にある。

文は、述語を一つ持っていて、述語は主語を一つ持ち得る。一つの述語が二つ以上の主語を持つことはできない。「シオンとマリンが四時間も寝坊した」などのように、複数の主体があっても、「[シオンとマリン]が〜」と、ひとまとまりにして一つの主語（主部）となる。従って、次の（15）〜（17）のような表現では、主語の主格名詞と、主語ではない主格名詞との、二つの主格名詞があるということになる。

（15）彼女が英語が苦手だった頃に、先生をやっていた
（16）僕が猫が好きなのは、前世で猫だったからだ
（17）君が水が飲みたかった時にあのオウムは毒を差し出したね

例文（15）なら、彼女と英語、例文（16）なら僕と猫、（17）では君と水、それぞれどちらが主語だろうか。誰が英語が苦手なのかと問われれば彼女が苦手なのだし、彼女は何が苦手なのかと問われれば英語が苦手なのだ。「苦手だ」「好きだ」「嫌いだ」「憎い」「欲しい」「〜したい」などといった述語は、主格名詞類（「が」の付いた名詞類）を二つ取ることができる[*6]。どっちも同じくらい文中で大事な立場だからなのだろうけど、一々どれが主語かなどと考えたら、面倒である。そういうのは専門家が好んで食べる話題だ。

(18) 犬が好きな猿がいた

この(18)は、意味が二つに取れる。犬を好む猿(犬のことを猿が好いている)がいたとも、犬が好む猿(猿のことを犬が好いている)がいたとも。

しかも主格標識の「が」はかくれんぼが得意なので、「は」とか「も」とか「すら」とかに隠れがちだ。「が」しか隠れないのなら良いけど、「を」も隠れたりするから厄介である。

このように、形の上で主語というのを一意に決められない言語はある。日本語は、例えば形が主格だからといって主語だとは言えない。ブルシャスキー語なんかは、述語が一致する相手が(格の上では一様でなくても)主語であると定義できる。[*7]

こうやって、様々な言語で様々である主語を、各言語でどう判別するかということで頭を悩ませたり、更には通言語的に、つまり世界中の言語で共通して言えるような主語とは何かということを摸索したり、偉い研究者も偉くない研究者もアレコレ思索するわけだが、誰もが肯(うなづ)くようなたった一つの答えには誰もまだ到っていない。

主語でも主格でもない、主題

さて、話は冒頭に戻るが、「主語の抜け」である。上司Q(仮)氏の明言を求めた「取って欲しいもの」は、「{誰/何}が取ることを望むの?」という疑問への「Yが（だ）」ではなく、主語ではない。寧ろ、「何を取って欲しいの?」という疑問への回答の「Yを」である。

日本語の「を」は主に直接目的語を明示するのに用いられる標識であって、通言語的に直接目的語との結び付きが強い格である「対格」の目印である。Q（仮）氏が求めた要素は、主語名詞でも主格名詞でもない。

尾丸氏の言いそびれた要素は、「初配信の話」や「アイマスの話」であるが、これを「主語が抜けた」前の文に復元するのは至難である。頑張って「主語の抜け」を回避して発話を構築するとしたら、（7）はこんな感じだろうか。

（7′）初配信ね何か色々先輩とかに訊いたんだけど、あのー私、枠取りに、えっと、失敗して、それの原因の一つがもしかしたら、肌色面積が多いからなのではないかってゆーとこ。

初配信に関しては、と話のテーマに関して一言最初に入れると、その後のトークが順調に進んだのであろう。（8）も然りだし、思い起こせば上司Q（仮）氏も、何について「取ってくれ」と頼んでいるのかをちゃんと言えとねちねちやっていたのだ。つまり、ここで抜けているのは、主題（トピック）である。

主語、主格と来て、今度は主題だ。似たような文字列が並んで申し訳ないが、それだけ概念的にも似ている部分があって、混同されていることが間々あるのだということで、ここは一つ宜しくお願いしたい。

主題とは、要するに次の一つの文、またはそれ以上の文に亙（わた）って、それに関して共通して話をするぞという、話のターゲットになる限られた領域のことである……とでも言えば良いだろうか。

これも誤解を恐れずざっくりと言うならば、日本語で係（かかり）助詞（もしくは副助詞）の「は」で導入されるような情報で、もっと平たく言えば、専門用語ではなく一般的な意味合いで言う「話題」のことだ。

初配信は、先輩に訊いたし、枠取りに失敗したし、その失敗の原因が肌色面積にある。

アイマスは、つばさプロのプロデューサーだし、ナムコ最高だし、あずささんの歌が好き。

あなたが下手糞に止めた醜いホチキス針は、目障りだからちょっと取って欲しい。

主題を補完すれば、一連の「抜け」は解消される。

日本語は主語よりも主題のほうを重視するのだというのが広く一般的な見解である（反して、英語は主語のほうが重視されている）。そういった言語特性があることを知らず知らず我々は気付いているのだろうか。日本語はトークテーマを一々言いたがる、と。その、主題に対するアンテナの敏感さが災いして、ポルカ氏は自分の発話でテーマを言い忘れたことを察知してしまい、話の要所要所で立ち戻りつつ「ゴメンなさい」と謝ってしまっているのだろうか。

案外、多くの場合は、主題をわざわざ断らなくても、話を聴きながら推察できそうな気もする。だが、確かに「あ、今、話題変わったな」って思うことは日常的によくある。家で奥さんが興奮気味に話し始めて、暫くしても何の話題か摑みあぐね、已むなくストレートに何の話かと尋ねて話の腰を折ったり、機嫌を損ねたりしてしまうこともある。（ごめんなさい）

「は」の示している「主題ですよ！」という情報は、「が」の示していた「主格ですよ！」に含まれている格の話とは、別次元のものである。「はがのをに」などと古く言われてきているが、「は」と「がのをに」とは住む世界こそ同じものの、働く業界が異なる。だからこそ、似た位置に登場するのに「は」は格助詞ではない。

主題は「情報構造」と呼ばれるジャンルに収まる一つの要素であり、他に「焦点」とか「コメント」とかが対立候補としてある。主格は先述の通り、格ジャンルの一候補で、「対格」とか「与格」とかが対立する。そうやって機能的に住み分けをしているので、例えば日本語で与格の標識である「に」と、主題の標識である「は」とは共起でき、「私にはできない」みたいな言いかたが可能である。一方で、「を」と「は」とは現代語では共起しづらく、「私をば連れて行って」などと言うと、時代掛かった印象を受ける。「が」と「は」とを同時に使うことはできず、「私が行く」の「私」を主題にするには、「が」を「は」に置き換えて、

「私は行く」としなければならない。

情報構造は別に、日本語の専売特許ではなく、例えば朝鮮語の *=(n)un*（는／은）や、ヒンディー語・ウルドゥー語の *=tō*（तो／تو）など、主題標識を持つ言語は数多あるし、語順やイントネーションを駆使して情報構造を表し分ける言語も多い。

けれども、国語の時間に「主題」という概念は習っていない気がする。そして「は」が付いても「が」が付いた時と同様に、主語になる場合が多い。統計を取ってはいないが、「生水は飲むな」にあるような、目的語に「は」よりも、「猫は正義だ」みたいな場面の、主語に「は」のほうが、日常的に多いのではないだろうか。そして結果、「主語の抜け」指摘衆は、「は」などで導入されるべき、それが不明だと話し手の意図が読み取れないような主題に関して、認識がズレて、「主語」と呼んでしまっているのではないか。

まぁ、考えても考えても、何を誤解なさっているのかはよく分からないね。端くれとはいえ、もやもやしがちな側[*8]の住民だもの。

ざっくりまとめよう。

主格は、格や文中の位置などの形式の話であって、形態論[*9]や統語論[*10]が主軸。
主語は、文法機能の話であって、形態論や意味論と関わり、統語論が主軸。
主題は、情報構造の話であって、音韻論[*11]や形態論や統語論と関わり、語用論が主軸。

手段や目的で互いに分野が交錯しているので、大変解りにくいですよね。*12

二〇二〇年八月二四日〜二六日

注釈

*【1】カバー株式会社が運営するVTuber事務所ホロライブプロダクション所属の五期生の一人。二〇二〇年八月一六日に配信デビュー。

*【2】YouTube配信「雑談を理解した【ホロライブ／尾丸ポルカ】」（二〇二〇年八月一八日ライブ配信。アーカイブ動画：https://www.youtube.com/watch?v=ijBytWfm8PA）。

*【3】「アイマス」とは、バンダイナムコエンターテインメント社が発売しているゲーム「アイドルマスター（THE IDOLM@STER）」（シリーズ）のこと。「つばさプロ」とはプレイヤーがプロデュース事業をする事務所「283プロダクション」の略称。なお、切り抜いた発話の後半に出て来ている曲名は、正しくは「隣に…」らしく、視聴者からのコメントを受けて直後に修正していた。

*【4】読みはビレゾン /birezon/ もしくはビレソン /bireson/。「微粒子レベルで存在する」の略で、限りなくゼロに近いけどゼロではない可能性がある、ということを表すネットスラング由来の表現。筆者は「微かなレート（率）で存在する」の略かと当初誤解していた。意味的には間違っていないが、危うく民間語源を発案するところであった。

*【5】と言いつつ、命令の文では主語が言えないんじゃないだろうか。英語苦手マンなので知らないけれど、主語を言ってしまったら、命令文とは言えないんじゃないだろうか。命令文である *Fight on!*「頑張れ！」に、命令されて実行する主体である二人称主語の代名詞を加えて、*You fight on!* としてしまったら、「お前は頑張るんだぞ！」みたいに、平叙文にならないか。*You, fight on!*「おい、頑張れ！」みたいな場合は、*you* は主語ではなく呼び掛けだろうし、呼び掛けだったら *Doggo, fight on!*「おいワンコロ、頑張れ！」などと言えることからも解る通り、カンマ前の要素は主語だとは言いがたい。何故なら、英語で三人称に対する命令（形を用いた）文はないからだ。

*【6】必ず主格名詞類が二つになるわけではなく、曖昧さ

を避けるために、主格名詞類を二つにしない言い換えも可能である。簡単な言い分けとしては、「好きだ」などでは対象に関して、「が」だけではなく「のことが」という言いかたをすれば、誤解がない。「〜したい」文では、欲求の対象を「が」ではなく「を」で示すこともできる。《日本語はこんなにも特殊だった》の節の注釈5も参照のこと。

*【7】主語が定義できることと、主語を定義して意味があるということとは違う。

*【8】ところで、話は激しく脱線するが、こういう場面で身を置いているサイドのことを現代日本語では「側（がわ）」と言うが、どうして「かわ」ではなく「がわ」なのだろう。「山側」みたいに、何かにくっ付いているなら連濁して「がわ」でも良さそうだが、「私の側からすると」のように独立して用いる際も、濁っている。一方で、「右っ側」「そちらっ側」のように、促音が前に入っていると、本来の発音であろう「かわ」に戻っている。もちろん、促音の後に濁音は、本来的な日本語の音韻で禁じられているのだが。

ちなみに《どうして文法を嫌うのか》の注釈8で使った、着ぐるみや変身ヒーロー、VTuberなどの外見を指し示す表現である「ガワ」という言葉も、外「側」に由来している。

*【9】ある言語の語形を整える法則のシステムを考える分野。

*【10】ある言語の文を組み立てる法則のシステムを考える分野。

*【11】ある言語の音のシステムを考える分野。

*【12】更に似た領域で「主」が付くものとして「動作主」という概念もある。意味的に動作をしている主体のことであり、「意味役割」というジャンルの一構成要素だ。紙幅がぐんぐん伸びたので端折ったが、意味論を主軸とした概念で、形態論や統語論とも関連する。「ハルカがノボルを叩く」の「ハルカが」も、「ノボルがハルカに叩かれる」の「ハルカに」も、動作主である。例文（9）で主語だった「恵美」は、けれども述語が意図的動作ではないので、意味的に動作主の役割を担っているとは言えない。

意味と空気

意味論・語用論

何かが何かを表している場合の、その内容——。

意味とは何かを考えると、頭がどうにかなりそうになる。色々を勘案して、全部を拾おうとすると、前の段落に書いたようなのが、「意味」の意味かと思う。

そもそも言葉の意味は辞書に書かれているが、辞書に書かれているのは言葉なので、言葉を言葉で説明していることになる。[*1]言葉で言葉を説明していくと、との詰まりは循環論になる。子供の頃にでも、辞書引き遊びをしたことがある人なら、その時に気付いているかも知れない。日本語・日本語辞書、つまり国語辞典で、ある単語を引く。その語義解説の中にある別の単語を引く。その単語の語義にある、また別の単語を……と転々としていったら、特に、語義の中のどの単語を次に探るかを一定のルールで決めていると、割と数手で同じ落とし穴に落ちて、ぐるぐるとループすることになってしまうのだ。平たい解釈が書かれているから、一つ一つの単語の説明は解るけれども、風呂敷を広げていくと堂々巡りが発覚して、全体としては何も説明できていないことが判明するのである。

よくある冗談だが、「ヤギ」を引くと「ヒツジに似た動物」とあり、「ヒツジ」を引くと今度は「ヤギに似た動物」と書かれている、みたいな話である。

意味とは何かを考える

取り敢えず、辞書に書いてあるような「語義」みたいなものを語の意味だと措定（そてい）して話を進めよう。

言語学の中で、意味を考える分野を意味論**【semantics】**という。

意味を客観的に考えるのは難しそうだ。だけど、言語学に客観性は欠かせない。だから客観的に意味を捉えて記述しなければならない。

言語は記号の集合であり、記号とは示す部分（形式）と示される部分（意味内容）とが結び付いたユニットのことである。語は記号であって、「ネコ *néko*」という音形が、あの愛らしく抱えやすいサイズの柔らかくて蠱惑的な哺乳生物を指し示すという組み合わせが日本語社会の中で広く諒解されているから、日本語に「猫」という語が成立していて、同じように成立している別の、「犬」や「狸（たぬき）」や「梃子（てこ）」や「エコ」や「三毛猫」や「黒猫」といった語と、対立し、区別されているのである。こうして語彙体系があって、文法体系と相俟（あいま）って言語を構成している。

犬や狸は、猫と同じ哺乳類ということで似た意味を持っているが、猫が犬ほど忠義を重んじなければ狸ほどポンポコしてもいないという点で、生物学的にも生態学的にも別の生物であり、意味が異なっている。梃子 *téko* やエコ *éko* は、猫 *néko* と音が似ているが、言語で形（音）と意味との関係は基本的に恣意的であり、[*2] 音が似ているからといって意味が似ているわけではないので、完全に別の語である。三毛猫や黒猫は、猫である。けれども三毛猫や黒猫であれば必ず猫であるが、猫であれば必ず三毛猫や黒猫であるというわけではないので、やはり別の概念を表している。この場合、猫は三毛猫や黒猫の上位概念だ。上位概念は、常に意味的に広い。

基本的には、言語の要素なら、何等かの形式がある限りは意味を持っていると考えられる。但し、やはり意味とは何かの見解の異なりから、これには異論もあろう。

例えば、「猫が鳴いた」という文があったとしよう。

「猫」は常に同じ指示対象を持っており、即ち意味を持つ語である。これは疑いがないだろう。

一方で、「が」はどうだろうか。「が」の意味とは何だ。この文では、鳴いたのが猫であることを「が」が示しているが、それは意味だろうか。

あるいは、「鳴いた」。まず、「鳴いた」は「鳴く」と別の語だろうか、それとも同じ語の別の形なのだろうか。別の語なんだったら、辞書に「鳴いた」が載っていないのは不備だろう。となると、意味は語単位で考えるより、それより小さい単位で考えなければならない場面もあるということだ。この場合「鳴いた」は *nai-tá* [< nak-ta] と分析でき、nak- が「鳴く」の意味を担っている部分、-ta が残りの部分と理解できる。-ta はここでは、猫が鳴く動作をしたのが過去であることを示している。さて、これは意味なのだろうか。

「が」や「-ta」が表している内容は、「猫」や「nak-」が表している内容がかなり具体的であるのと比較して、抽象度が高い。何かを指示しているというよりは、文中で意味同士の関係性（「猫」が「nak-」動作の主語であること）を表したり、文が現実世界に対してどういう位置づけであるのか（「猫が nak-」動作のタイミングが発話時点より以前であること）を表したりしている。僕が知っている言語学では、このように、事物を指示している場合の内容を「意味【meaning】」、もっと抽象的な関係性などを示している場合の内容を「機能【function】」として、呼び分けるのが通例である。意味論は、意味と機能とを考察するジャンルである。

文を構成する諸要素の意味・機能を総合すると、文の意味が組み上がる。そういう考えかたは要素還元主義と呼ばれて、時に否定的に扱われることもあるが、唯でさえ目に見えない「意味」というものを考える研究で、更に客観的に観察できる形式にも依拠しないプラスアルファを加味し始めたら、善程(よほど)の節度を持った話の進めかたをしない限り、説得力が失われてしまう可能性がある。

そこで、意味自体を広く捉えたり、辞書的意味（言語知識）のみならず、その周りにぼやっと透視できる概念的知識[3]にまで思慮を広げて考えるようになっているのが、意味論分野の昨今なのではないだろうか。僕は意味論に疎いので、もしかしたらそんなことないかも知れないけれども。

意味以外の意味

けれどもそれだけでは事足りないのが実際の言語での情報伝達である。

(19) 抱いて欲しい気分で「疲れたわ」って言ったら
「それじゃ送ってくよ」って　疲れるわ

（♪「nerve」BiS）

アイドルグループの歌で、(19)のような歌詞があった。意味論的に意味は取れるが、コミュニケーションとしては支離滅裂に見えてしまう。

ではこれは支離滅裂なやり取りで、単に気難しい女性が相手の男性に対して癇癪を起こしているだけなのだろうか。そんなわけがない。そんな歌詞の歌だったら、リリース前にプロデューサーがストップを掛けるべきだ。

解説するまでもないと思うが解説すると、性交もしくはそれに準じたことをしたい気分になった女性が、休憩と称してホテルなどに立ち寄ろうと持ち掛けているのに、鈍感な男性がその言葉を真に受けてデートを切り上げようとしてしまって、あーあ、意思疎通が図れていなくてマジ疲れるわ、萎えるわ。という件(くだり)である。

そんなこと、書かれていない。なのに、何故そう読めるのだろうか。

このような、意味論的に文意を読んだだけでは出て来ないような意図、ニュアンスは、文脈を考慮に入れると浮き彫りになる。この場合の「文脈」というのは、文章の前後の繫がりということだけでなく、発話の状況や声色、更には言語外の雑多で様々な情報(百科全書的知識など)までも含んでいる。

一見すると関連性のなさそうな発話の応酬であっても、特殊な状況でない限りは、会話の参加者たちは何かしら関連していることを発話し合っている。そういう前提があってこそ、言外の意味などは発生するし、それを随分と迅速に読み取ることもできるのだ。全く無関係なことを言おうと思うと難しい。試しに、多人数での会話中に、全く無関係と思うことを言ってみて欲しい。案外、誰かが関連性を頑張って見出して、話を継続して理解してくれるかも知れない。[*4]

このように、どの場面でどのように何を発話するか、文脈と結び付けてどのように含意の理解を引き出すかといったようなことは、一般的な意味論では扱えない。[*5] その代わりに活躍するのが、語用論【pragmatics】という分野での分析手法である。語用論では文外の情報なども引っ張ってきて、発話の意図を理解しようとする。社会的距離感からの敬語使用なども考察の対象にできるし、文中の何を特に伝えようとしているのか、何を言おうとしていないのかなども考える。何なら、そもそも発話をしないという選択だって、何かしらの意図を反映している可能性があるだろう。

ざっくり言えば、意味論は文字通りの意味を考え、語用論は言語使用周りの空気をも読み解く。日常会話で我々が普通にやっていることを改めて分析するのだが、何せ姿形のないものを取り扱うのだから手強い。

「犬!」と誰かが言ったとして、状況次第では「可愛い犬がいるから見ろ!」とも、「狂犬病の可能性があるから逃げろ!」とも取れる。ペットショップでの、「飼いたいのは猫ではなく犬だ!」という意図の発話かも知れない。図書室で、「何語かも解らなくて一生懸命調べた“*qan* (ӄан)”って単語、ニヴフ語の『犬』かよ!」の可能性もあるし、警官を「権力の犬め!」と罵っている場面かも。発話意図は多種多様な蓋然性に溢れている。

個々人の性格にも、個々の言語文化にもかなり依存する部分だと思うが、思うに、言いたいことを言えない場面というのは世の中に多くあって、その場合に「嘘」を吐く経験はほとんどの人間にあるのではないか。ちなみに、嘘とは正しいと思っている事柄があって、それとは違う情報を発出することだ。知らないことに関して適当に言ったことが外れていても、嘘とは呼べない。

(20)「やる気あるの?」
〔中略〕
「ないよ。サッカーなんて苦手だし、好きじゃない」。そんなこと言えるはずもなく、わたしは「頑張ってるよ」と言い、サッカーノートというサッカーが上達するための日々の記録を見せた。「それならいいや」とキャプテンは納得した様子だった。
(『目を合わせるということ』[*6]、一二一―一二二ページ)

コミュニケーションや人間関係に解れ(ほつれ)を生じさせないように、円滑に暮らすために、言いたいことをグッと堪えて嘘を述べるという戦略はある。そして、(20)の場面がそうだとは言わないが、聴いた側も、嘘だと解っていても「そこで嘘を吐いたこと」に意義を見出して、それを受け容れるということが間々ある。そうなると、言った側も露骨な嘘を受容するポーズが取られたことに、更に意味を考えることになる。
京都人は率直に物事を言わない特性を持っていると言う。作り話っぽいが、ぶぶ漬け(お茶漬け)を出しましょうかと訊かれたら、長居をすでに煙たがられているだとか。「お人形さんみたい」と讃辞を言われるのは、いつも同じ服を着ていることを窘(たしな)められているだとか。

「良い時計ですね」は話の長さを咎(とが)められているだとか。


京都方言（もしくは京都人の話しかた）に限らず、こういう婉曲的な物言いは、特に非ネイティヴの言語学習者には耐えがたいややこしさであって、余所者(よそもの)の眼には意地悪さを感じざるを得ない。

コミュニケーションって面倒臭い。言いたいことも言えない世の中に、誰がしたかと言えば、我々ヒトが共同作業で構築してきたのだろう。ヒトは嘘を吐く動物なのだ。

(21)〈ロブが初対面のマチを朝食に誘い、行こうとした時に〉ロブが甲高い声を上げた。
「おっと、しまった。財布を忘れてきた」

わたしは彼の顔を見た。

「そうやって旅を続けてるの？」

「まさか！」

ほんの冗談のつもりだったが、ロブはそう受け取らなかった。その顔が赤くなる。

（『王とサーカス』*7、二〇ページ）


小説だと、案外、結構、懇切丁寧に会話がされているので、中々良さそうな例を探すのに苦労した。（21）の会話は意味論的な文意だけではしっちゃかめっちゃかである。だが文脈や推察で含意を量ると、ざっくり言えば、（22）のような流れが見出せよう。

（22）①　自腹の約束でご飯に誘う
②　「財布を忘れた」と宣言
③　金がないから奢ってもらうしかない
④　「①〜③の手法で旅をしているのか」と尋ね
⑤　「まさか」そんなことはない

実際に③は文中に書かれていないが、①②からマチの④の発話が出た時点で、マチが、ロブが③を目論んで②を発話したのかと疑っていることが、大多数の読者には自然と読み取れるのだ。

語用論はその各ステップと、ステップ間で起こっている理解のプロセスを、客観的に記述するような分野なのである。きっと多分。いや、どうかな。

正直、どうやって分析するんだろうと不思議に思うくらい、語用論のカバーし得る範囲は広い。どうやって客観性を確保しているのかもよく知らない。言語学者を自称するなら言語学全般が解るだろうにと思う読者の方もあるかも知れないが、普通そんなことはない。こんなに広い領域の学問で全部をカバーなんて、できやしない。そういうこと。ね。

二〇二〇年一一月一二日～一三日

注釈

*【1】そういう、言葉を説明するための言葉は、本質的に説明を受けるほうの言葉とは別物の、より上位にある言葉という意味で、「メタ言語」と言われる。厳密なルールを作って書いているわけではないけれども、本書で鉤括弧に括っている部分などは、地の文の中で説明をするため、メタ言語を使用している箇所であることが多い。

*【2】音声言語よりも手話言語のほうが、この恣意性が「やや」下がる気がする。けれども、やはり手話言語であっても恣意性はちゃんとあり、ジェスチャーなどとは根本的に異なっている。また、音声言語でも、擬音語や擬音語由来の幼児語などは恣意性が下がる。

*【3】言語知識、概念的知識と、百科全書的知識に関しては、《翻訳できないことば》の節の注釈19辺りを参照のこと。

*【4】そんなことを度々やると、嫌われたり話しにくいと思われたりする可能性が高いので、ほどほどに。僕は責任は持たない。

*【5】とは言え、意味論の分野も様々で、中には文意以上の領域にまで取り扱いを拡張して研究する方法論もある。意味論と語用論とは、きっかりとどこかで線引きし切れるものでもない。

*【6】モモコグミカンパニー（二〇一八）『目を合わせるということ』、東京：シンコーミュージック・エンタテインメント。

*【7】米澤穂信（二〇一八）『王とサーカス』、文庫版、東京：東京創元社。

語とは何か

音韻論・形態論・統語論・意味論

しりとりを知っているか。

日本語にある言葉遊びの一つで、前の単語の尻（語末音）を次の単語の頭（語頭音）として語を数珠繋ぎに提示する遊びである。そして単語とは、単一の語のことだ。だから、しりとりができる人なら、そこはかとなく、語とは何かを分かっているはずである。[*1]

語とは発話の構成要素の一つであり、一般の人であっても、「一語毎に区切って発音してみて」などと言われたら、何となくそれっぽく対応することができる気がする。

もちろん言語の話をしていても、語順だとか、単語帳だとか、一語文だとか、借用語だとか、複合語だとか、語句だとか、新語だとか、流行語だとか、様々なところで「語」という語が出て来る。英語で言う *word* で、ウルドゥー語なら *lafz*（لفظ）で、ブルシャスキー語なら *bar*、パシュトー語なら *kalimá*（کلمه）、他に、まぁ何語でも良いんだけど、例えばキルギス語なら *söz*（сөз）、ハワイ語なら *hua ʻōlelo* だ。どんな言語でも、「語」に相当しそうな語を持っている。

通言語的な「語」の定義

では、改めて問うが、語とは何だろうか。これが難しい。

僅かでも言語学を齧ったことがある人には耳胼胝（みみたこ）だろうし、言語学を全く知らない人には何それって話かも知れないが、実は、言語学的に、果たして一体、どの言語にも言える単位概念であるはずの語とは何なのか、包括的に説明できる定義はないのが実情である。

どの言語にも語はある。発話する文は一つ以上の語の集まったものである。こんな風にして、語というものを自明の要素として認識していて、何かを説明する時に、その概念を持ち出して話すことも多いのに、だ。そして一方で、語という論理上の概念を設定しないと、文法の解説が大変面倒臭いものになりそうなので、文法記述を目指す学者らは、適宜、語を定義して説明内に持ち込むのである。[*2] それぐらい、根本的な言語単位なのだ。

日本語の文法を考える上で定義される語だとか、ドマーキ語の文法現象を考察する上で定義される語だとか、そういった個別言語における記述の道具としての語は、それぞれの言語に合わせて、それぞれの研究者が定義している。けれども、例えば日本語のことを考える時に用いる語の定義は、ドマーキ語のことを考える時にそのまま転用できるものではない。飽くまでも、その言語のみに対して適用する定義である。

あらゆる言語に対して適用できる（即ち、「通言語的な」）語の定義というものは、存在していない。

何故と言えば話は簡単で、世界中で様々に語られている言語が、多様過ぎるためである。言語数が七〇〇〇あっても、それらが互いにとっても似ていたとしたら、同一の定義でどの言語にも適用できる語の概念を作れたかも知れない。けれども実情はそんなこともなく、各個言語の語は、当該言語でしか通用しない定義で論理的に仮定される代物でしかない。

「猫が鳴く」の語数は？

びっくりするくらいざっくり言えば、語というのは、意味的に何等かの一まとまりを表現して、音声（形式）的に何等かのまとまり性を持っている単位である。

例えば、「猫が鳴く」という表現を考えてみよう。便宜のため、表す形式をカナ書き、具体的な意味を鉤括弧書きで「xxx」、そして抽象的な意味を〈xxx〉として山括弧で括ることにする[3]。

ネコガナク「猫が鳴く」は、意味の上でまず二つに分割できるだろう。つまり、「猫が」と「鳴く」とが合わさってできていると見ることができる。まず、「鳴く」は何と入れ換えれば意味的な最小対[4]になるだろうか。捻くれていない人ならば、「走る」とか「いる」とか、

「可愛い」とか「好き」とかその辺りを思い浮かべてくれるかも知れない。
「猫が」は、何と入れ換えると意味的な最小対になるだろう。「鳥が鳴く」との対比で考えれば、「猫が」と「鳥が」の対立だが、「猫と鳴く」なら、「猫が」と「猫と」との対立だ。おや、だったら、「猫が」は更に、「猫」と「が」とに分割して考えるべきではないだろうか。ならば、ネコガナクは、ネコ「猫」とガ「が」とナク「鳴く」との合わさったものだと言えそうだ。つまり、三つの語が合わさった文だ。なるほど、これらは国語辞典でも立項されているもんな。

いやいや、ちょっと待ってくれ。だとしたら、ネコガナイタ「猫が鳴いた」はどう扱おう。国語辞典でナイタ「鳴いた」という項目はない。つまり、これは語ではない――とは言えない。第一、ナク「鳴く」とナイタ「鳴いた」は同じ語なんじゃないのか？　いや、だけど形が違うんだから、別の語なのでは？　ん？　別の節でも似たことを考えたな？　などと、日常的な感覚だと、この辺りで混乱が生じそうだ。

「鳴く」と「鳴いた」とは、意味的に別である。動詞は同じものを用いているが、後者が「鳴く」動作が〈過去〉の出来事であったということを含意している一方で、前者はその「鳴く」動作が現在や未来、もしくは時間を想定しないようなものであるという意味[*5]（便宜上、〈非過去〉と呼ぼう）をも含んでいる。担っている意味の総体も形も異なっているのだから、これはやはり別の語だと認定できそうだ。但（ただ）し、そういった語を全部収録するとなる

	非過去		過去		命令	
「鳴く」	*naku*	ナク	*naita*	ナイタ	*nake*	ナケ
「走る」	*hasiru*	ハシル	*hasitta*	ハシッタ	*hasire*	ハシレ
「いる」	*iru*	イル	*ita*	イタ	*iro*	イロ

表4．3つの動詞の3つの語形を見比べる

と、国語辞典が何ページあっても足りないので、辞書的には代表形（日本語の場合は終止形）を立てて、後の語形変化は文法知識によって賄ってもらおうというスタンスで編纂されているのである[*6]。

　だからナク「鳴く」は更に、「鳴く」と〈非過去〉とに分割できる。じゃあそれは、ナ「鳴く」＋ク〈非過去〉だろうか。ナイタはナ「鳴く」＋イタ〈過去〉で、命令のナケはナ「鳴く」＋ケ〈命令〉になるのか。そうはならないのは、すぐに判るだろう。例えば上に挙げた「走る」の場合、非過去形はハシル、過去形はハシッタ、命令形はハシレであって、*ハシク、*ハシイタ、*ハシケではない。「いる」でも同じような不都合が観察できる。これは、カナで書こうとしているから生じた過ちである。日本語を考える時に、日本語用の文字であるカナを使っていては見えないものもあるのだ。それなのに一部の界隈では日本語や日本語諸方言などの論文で、カナ書きによる音声の転写を続けている研究者たちがあって、嘆かわしい。

　カナは不便なので、ここでは、読者の方々にもそれなりに馴染みがありそうな、ラテン文字にローマ字化しよう。ナクは *naku* だし、ハシルは *hasiru*、イルは *iru* だ。これで非過去形、過去形、命令形を見比べてみたのが、表4である。一応、カナ書きも併記した。
だがこれだと解りにくいので、更に一工夫して、各行の共通部分を取ってみたのが表5だ。表5を見ると、何だか、共通性がありそうでなさそうにも見える。サンプルが少ないから見通しにくいのだ。だったらサンプルを増やして見比べれば良い。試しにサンプルを倍に増やしたのが表6になる。

	非過去	過去	命令
「鳴く」	*ku*	*ita*	*ke*
「走る」	*ru*	*tta*	*re*
「いる」	*ru*	*ta*	*ro*

表5．語形を引ん剝く

別に本書は日本語の学習書でも解説書でもないので、そろそろ段階をすっ飛ばして答えに向かおうと思う。こういった具合にあれこれ検証を重ねていくと、最終的に各意味内容を表すパーツの形が、それぞれ、〈非過去〉は *(r)u*、〈過去〉は *(i)ta*、〈命令〉は *e* か *ro* だと判る。その前の *nak*「鳴く」[*7] とか *i*「いる」とかのパーツの末尾が子音か母音かでグループ分けできることも、パーツが組み合わさる際に規則的に音変化が生じることなんかも判る。話に飽きてきている方もあるかも知れないし、飛ばし読みした方もいるかも知れないので、端的に言うと、ナク{「鳴く」＋〈非過去〉}としていたのは、*nak*「鳴く」＋ *u*〈非過去〉と分解できることが見えてくる。

ネコガナクを *nekoganaku* と書けば、文を構成している要素は次の（23）のようになる。

	非過去	過去	命令		非過去	過去	命令
「鳴く」	*ku*	*ita*	*ke*	「推す」	*u*	*ita*	*e*
「走る」	*ru*	*tta*	*re*	「買う」	*u*	*tta*	*e*
「いる」	*ru*	*ta*	*ro*	「寝る」	*ru*	*ta*	*ro*

表6．サンプルを増やす

(23) *neko* *ga* *nak* *u*
「猫」「が」「鳴く」〈非過去〉

流石にこれ以上は分割できまい。

ではこれらが語だろうか。

音韻的な側面から

この節の頭のほうで言った、一語毎に区切って発音するというのをここでやってみると、途端に、これらが語だとは言えなさそうな話になろう。人によるだろうが、「猫・が・鳴く」か、「猫が・鳴く」かのどちらかになると思われる。「*neko*・*ga*・*nak*・*u*」と区切る人は存在しないだろうし、そんな発音をされたらとても奇怪に聞こえるはずだ。何故なら、日本語で、文法のルール上、「*nak*」という発音は単独で現れられないのだから。

つまり、意味的な側面から探っていった最小のまとまり単位は、語を特定するのに最適ではないのである。

じゃあ形式、即ち、音声の側面から考えたほうが良いだろうか。

音声の最小単位は、ざっくり言えばここでのラテン文字表記の一字ずつに相当するだろう。*neko*「猫」はn・e・k・oが組み合わさっている。nが欠けると*eko*「エコ」という別の語になるし、nがgに変わったら*geko*「下戸」、kがrに変わったら*nero*「寝ろ」と、やはり別の語になってしまう。kが重複しても*nekko*「根っこ」となってしまう。別の語になるってことは、それぞれが別パーツだってことだ。

そうではなく、ここでは一まとまりとして認定できそうな単位を探るという話がしたいのだ。どうやって一まとまり性を考えれば良いのだろうか。

そう言えばすっかり捨象（しゃしょう）してしまっていたが、日本語は高い低いのピッチ・アクセントを持っている言語である。一般的ではないかも知れないが、本節では、アクセントを高く発音するところに鋭アクセント記号（´）を用いて表記することにしよう。*8 そうすると、*tóki*「朱鷺」と*tokí*「時」みたいに、ピッチの高低で別の語になるペアが幾つも見付かる。そういうのを、このアクセント体系が弁別的である、という。

それで「猫が鳴く」を表記すれば、*nékoganakú* となる。ピッチの高い部分、山が、最初のネ*né*の部分と、最後のク*kú*の部分との、二つある。

先程の「一語毎に区切って発音する」で、*néko ga nakú*（猫が・鳴く）とする派閥の人は、この山の存在に敏感な人かも知れない。

日本語（国語の授業で習う、共通日本語）をよくよく考えてみると、どんなに長い単語でも、山は一つしか持っていない。無闇矢鱈と上がったり下がったりはせず、結論から言ってしまえば、一度下がったら、その単語内では二度と上がらないという法則を持っているのだ。*tṓkyṓgáikókɯgódáigakɯ*「東京外国語大学」も、*kokɯ́rítɯ́míńzṓkɯ́gákɯ́hákɯ́bɯ́tɯ́kan*「国立民族学博物館」も、*yosiókáyósiókásii*「吉岡吉岡しい」も、高台を持っていて、下った後に再び上りはしない。最初が高い *íngɯrando*「イングランド」や *kázɯsaitinomiya*「上総一ノ宮」も、再上昇は確認できない。日本語では、そういう風になっている。

これが形式の面での一まとまりだと考えることはできるかも知れない。だとすると、*nékoga*「猫が」は、*nakɯ́*「鳴く」と同様、一まとまりっぽい。確かに、*hásiga*「箸が」、*hasíga*「橋が」、*hasígá*「端が」と、カナ書きすればハシとなる三つの名詞は、助詞の「が」の部分までを含んで、三パターンのピッチが区別されている。アクセントが「が」まで及ぶんだから、まとまり単位として認定しても良いだろう。つまり、*nékoganakɯ́* を構成している要素の形のまとまりかたは次の（24）の通りとなる。

（24）*nékoga*　*nakɯ́*
　　「猫が」　「鳴く」・〈非過去〉

では、「猫が」と「鳴く」が語だろうか。

分離のしやすさ・しにくさを考慮する

けれども「猫・が・鳴く」の一派もある。「*nak・u*」という分割は難易度が高いが、「猫・が」は構音的にも心理的にも容易くないだろうか。
「猫が鳴く」に対して、巧く聞き取れなかったであろう人に訊き返された時の返答を考えてみると、可用度が異なる気がしないだろうか。(25)と(26)とを見比べてみて欲しい。

(25) A：*nékoga nakú.*　猫が鳴く。
　　B：*nékoto nakú?*　猫と鳴く？
　　A：*gá! gá!*　が！　が！

(26) A：*nékoga nakú.*　猫が鳴く。
　　B：*nékoga naitá?*　猫が鳴いた？
　　A：*ú! ú!*　う！　う！

部分訂正を試みるこの場合、(25)は割とアリな気がするが、(26)は無理ではないだろうか。多分、言うとしても（26′）のようにならないか。

（26′）A：*nékoga nakú.*　猫が鳴く。
　　　B：*nékoga naitá?*　猫が鳴いた？
　　　A：*nakú! nakú!*　鳴く！　鳴く！

このテストからは、アクセント基準でのまとまりだけではなく、意味ベースでのまとまり感も幾らか機能している感じを覚える。*ga*「が」が、*u*〈非過去〉と違って、形式的なキレが良い、つまり、切り離しても先行要素を発音できるままに保つからだろうか。

書き言葉になるとやや難しいが、漫画などから、こういった、助詞が分離して発話される例を見出すことができる。もちろん、日常会話でも人によっては聞くことがあろう。

例えば図16[*9]では、コマの左手のセリフで、感嘆文から後足しで繋げるように発話している文の冒頭が、格助詞の「で」になっている。本節での書きかたに合わせれば、*ōma! de ákteru?*[*10]「オーマ！／……で合ってる？」となっている。この場面で、*de* 自体が独立してアクセントを持ち、アクセントのまとまりを成しているか否かは判断できない。

同じように図17[*11]でも、*hatúno guzzuká! gá!! arimásita!*「初のグッズ化！／が!!／ありました！」と、「が」の前で切ることができている。漫画の形式上で、そもそも地の文と発話とに分かれているので、これを「初のグッズ化が〜」と切らずに読むのは作者の意図に反していると考えられよう。

さて、これら二例のローマ字化は、僕の内省[12]による判断でピッチを示しているのだが、図16のほうは先行要素が *óma* と、既にピッチが下がっているのに釣られて、単独の *de* も平常時（例えば、*ómao*「オーマを」）同様に低く発音され、図17のほうは先行要素 *guzzuká* が平常時に後続の助詞の頭も高くする（例えば、*guzzukáó*「グッズ化を」）のと同じく、離れている *gá* も高く発音される気がして、そうしている。

図16. 分離した助詞の「で」（『天国大魔境』5巻145ページ）

僕の日本語運用能力的には、これが正解である。

要するに、これらの助詞は名詞から離して、単独で発話することもできなくはないのだが、一方でアクセントに関しては、くっ付けて発話した時と同じパターンになるだろう。

「鳴く」の *u*〈非過去〉と「猫が」の *ga*「が」との違いは、ある。[13] 自然な発話の中で、*u* がどうしても切り離して発音されないし、そのせいか、言語学を齧っていなければその部分だけを綺麗に切り取ってパーツ化する意識も余り働かない（ぼんや

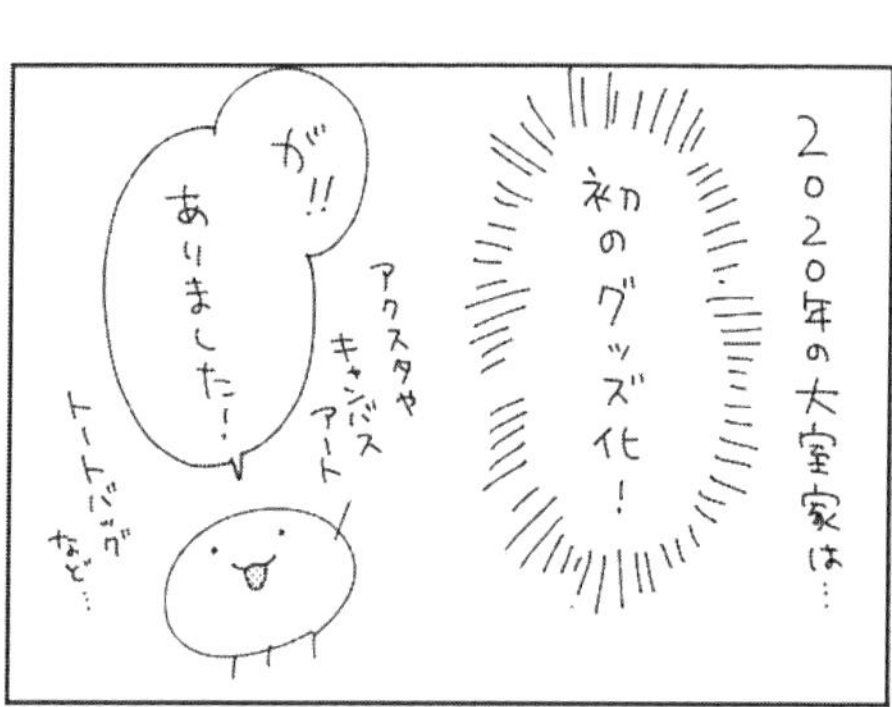

図17．分離した助詞の「が」
（『大室家』４巻117ページ）©なもり/一迅社2021

り）のとは対蹠的に、*ga* は『を』ではなく『が』だよ」[*14] みたいな風に、独立した何等かのまとまりを一般的に意識されている傾向にあり（ぼんやり）、前の要素から切り離して発音されることもなきにしも非ずなのである。他にも、別の意味的まとまり要素を割り込ませることができるかとか、その要素の順番をどれくらい入れ換えられるかとか、様々なテストのしかたがある。

結局、「語」とは何か

こう言える、こう言えない、みたいな基準は、文法性（ある表現が文法的に正しいと言えるか否か）判断の個人差もあったりして、結構危うい。一方で、アクセントがある、ない、みたいな基準は、もう少し客観的で良いかも知れないが、それだって例外が全くないかは分からない。[*15] 意味的なまとまりってのは、形と結び付けて判定されるので、既に純粋に意味だけで考えられるものではないし[*16]、英語の *I am* が過去では *I was* になってしまうような補充法【suppletion】[*17] などに弱いという側面もある。言語によっては、分かち書きをする単位を語だと考えても良いかも知れないが、日本語には当て嵌まらない。

そうやって苦心して、何かしらの基準をかっちり立てられたとしても、それは他の言語では通用しない。

各言語に「語」っぽい何かを想定することはできて、その言語の話者にしてみれば何とはなしにイメージがあるし、それを有効活用することで文法記述が簡便になったり、説明可能な現象が増えたりすることもある。どの言語であっても、一語文ではない文が作れ、その文は複数の語からなる、語の集合体であるのだという直観も、誰しもが概ね肯定できるだろう。だけど、言語を跨いで直接その概念を定義ごと持ち込むことはできない。何て、妖怪ぬらりひょんみたいに摑みどころがなくて曖昧模糊としている、それなのに根本を支える大黒柱のような概念なんだろう。いっそ、気味が悪いまである。

語って、何なんですか。このままでは、落ち着いてしりとりすらできないんです。

二〇二一年一月七日〜一五日

注釈

*【1】誰かに「しりとりを説明して」と言えば、恐らくこんな感じにルール説明があるだろう（更に、対戦式の場合には、「ん」で終わる単語を言ったら負け、という一条も足されよう）けれども、実際には単語全般ではなく、名詞くらいしか一般的なしりとりでは使われない。「猫」とか「ル

リカケス」とか「ヒメマルカツオブシムシ」とかは使用が許可されるが、擬声語「にゃー」とか動詞「飛ぶ」とか形容詞「小さい」とか副詞「努々」とかは、単語単語してるのにNGが出がちだ。名詞でも、「飛び」とか「小ささ」とかの許容度も低そうである。案外、しりとりは語彙セットに厳しい。

*【2】例えば、名詞、形容詞、動詞などといった「品詞【part of speech】」という概念は、国語の授業でも登場したかと思う。品詞とは、今風な用語で言えば「語クラス【word class】」などと言い換えられるもので、各「語」が形や文中での現れかたとして、どういった種類のグループに属すか、そのグループ全体の示す特徴は何かといったことの説明に用いられる概念だ。このように、様々な現象を説明する、基礎的な設定の中ですら「語」という単位が大活躍する。

*【3】ここで「xxx」とするようなものを意味、〈xxx〉とするようなものを機能と呼んで区別することもある（但し、厳密には少し違っている）ことを、《意味と空気》の節で話した。そしてそうした区別を持ち込んだ場合に、意味を持つ語を内容語【content word】、機能を持つ語を機能語【function word】と呼ぶこともある。通言語的に、名詞・動詞・形容詞などは内容語であり、代名詞・助動詞・指示詞などは機能語である。

*【4】全体のうちの、ある一要素だけが入れ替わっていて、それによって全体が何か別の論理的に妥当なものに置き換わるペアのこと。

*【5】例えば、「イエネコというものは大きくなっても鳴くものだなぁ」みたいな、一般的真理みたいなことを言う場合は、時間を特段想定していない。

*【6】某「ブルシャスキー語の父」が編纂した、とあるブルシャスキー語・ウルドゥー語辞典では、中途半端に動詞の変化形もが立項されていて、却って非常に体系性を損ねていた。某「ブルシャスキー語の父」に関しては、吉岡（二〇一九）を参照されたい。お手許になかったら、書店か図書館かにでも行かれたい。図書館にもなかったら、リクエストをするのも悪いことではない。

*【7】例えば〈命令〉の*e*と*ro*とは、動詞本体のパーツの末尾が子音なら前者、母音なら後者が用いられる。なので、子音終わりの*nak*「鳴く」には*e*〈命令〉が付いて*nak-e*「鳴け」になるし、母音終わりの*i*「いる」には*ro*〈命令〉が付いて*i-ro*「いろ」になる。そして子音終わりの動詞は国語の授業で「五段（活用）動詞」、母音終わりの動詞は「一段（活用）動詞」などと呼ばれているものだ。

*【8】この節だけ、便宜のため、日本語のアクセントの表しかたを変えてある。他の節では、高ピッチの末尾の音にのみ鋭アクセント記号を付しているので、留意されたい。

*【9】石黒正数（二〇二〇）『天国大魔境』五巻、東京：講談社。

*【10】答えとして諾否を問う極性疑問文【polar question または *yes-no question*】であるため、文末のピッチが上昇するが、それはアクセントではなくイントネーション（抑揚）の問題なので、ここでは差し引いてアクセント記号を付加している。文の上昇調イントネーションは、疑問符で代わりに示している心算（つもり）だ。猶、日本語の場合、疑問詞疑問文のイントネーションは上昇調でも平調（自然下降調）でも構わないと思う。文全体のイントネーションは、特に何も考えないと、自然とゆるゆる下がる。

*【11】なもり（二〇二二）『大室家』四巻、東京：一迅社。

*【12】内省とは、主体（この場合は筆者である僕）自身の頭の中にある手持ちの知識に照らし合わせて、物事の是非の判断やら再現をシミュレートしたりする方法論のことである。

*【13】ある形式とある意味とがセットになっていて、形式面でそれ以上分割することができない（最小の）ものを、形態素【morpheme】と言う。形態素には、自由【free】形態素と拘束【bound】形態素との二種類があって、例えば *néko*「猫」みたいに、それだけで自然談話内に現れ得るものは自由形態素、*u*〈非過去〉みたいに、それだけでは自然の発話で単独使用されないものは拘束形態素、ということになる。言い換えると、自由形態素はそのままで語になることが可能であるが、拘束形態素は語よりも小さい形式でしかない。拘束形態素の多くは、特定の品詞の語にしかくっ付かず、そういったものは語と区別して、何かにくっ付くことばという意味で、接辞【affix】と呼ばれる。一方で、色々な品詞の語にくっ付くことができたり、条件が揃えば自然談話内でも単独で現れ得たりする、語と接辞との中間的なポジションに立つ、日本語の *ga*「が」みたいな形式もあって、そういったものは、基本的にはくっ付く語という意味で、接語【clitic】と呼ばれて別扱いされる。

*【14】格助詞などは先行する名詞類のアクセント・パターンに左右されてピッチの高低が決まっていたが、こういう発話の場合には、*ódewa náku gádayo* と、独自のアクセントを取り得る。だが、それは要素として取り出しているという文脈があるから可能なのかも知れない。

*【15】言語は、言ってみれば社会的な自然抽象物なので、例外が付いて回る。どんなに規則性の高い言語でも、自然言語には大なり小なり例外があろう。例えば東ブルシャスキー語でも、基本的に形式面では本節で述べた日本語と似た「一語一アクセント」的な法則があるが、*ác̣o*「私の同性のきょうだい」という基礎単語なんかが例外的に、複数形 *ác̣ukóon* でアクセントを二つ取ってしまったりする。

*【16】そもそも意味の最小単位とは何だろうか。

日本語：*áni*「兄」、*otőtó*「弟」、*ané*「姉」、*imőtó*「妹」

英語：*brother*「兄／弟」、*sister*「姉／妹」、*sibling*「兄／弟／姉／妹」

東ブルシャスキー語：*á-c̣o*「私の-同性の兄／弟／姉／

妹」、*a-yás*「私（男）の-姉／妹」、*o-ólus*「私（女）の-兄／弟」

リンブー語：*phuʔ*（ᤑᤢ᤹）「兄」、*nɛnɛ*（ᤏᤧᤏᤧ）「姉」、*nusaʔ*（ᤏᤢᤛ᤹）「弟／妹」

これらを見比べた際に、どれが最小かなんて決められないことが見えるだろう。つまり、どれも親を共有している同世代の親族を意味する語なのだが、性別や年齢が付加情報として含意されていたり、更にその組み合わせが言語ごとにズレていたりするので、単に *áni*「兄」という日本語の単純語が持つ「兄」という意味であっても、更に分解可能性を秘めている以上、最小単位だとは判定できないことになる。一転して、例えば「兄」という意味を「親を共有している同世代の親族＋男性＋年上」という組み合わせで表現できるとしよう。同じように、「猫」とか、「言語」とか、「可愛い」とか、「鳴く」とかの意味を考えると、それぞれどういった要素の組み合わせになっているか、一意に決められるだろうか。親族名称みたいに、それなりに内容物が限定されていて、それぞれを見比べて有意義な要素を分析できる語彙ならまだしも、ある言語の中に存在しているほとんどの語彙に関しては、そんな分析、到底無理である。

*【17】何故なら、補充法というのは、同じ意味内容を表す、同一と看做せる語なのに、（他の語彙では規則的に変化するような）状況に合わせて全く相互に関連性のない別の形式と交代する手法を指すからである。同じ語なのに、違う形なのだ。英語では原形 *go*「行く」と過去形 *went*「行った」とか、原形 *bad*「悪い」と比較形 *worse*「もっと悪い」とか、色々ある。東ブルシャスキー語の *júçam*「私が来る」と *dáan*「私が来て」とか、西ブルシャスキー語の *bi*「それ（具象物）が〜だ」と *duá*「それ（抽象物）が〜だ」とか。コワール語の *šer*「それが〜だ」と *néki*「それが〜でない」とか。ポーランド語の「年」の単数形 *rok* と複数形 *lata* とか。日本語にはあるだろうか。「日本語にはこれと言ってないよね」という話をちょいちょい聞くし、専門ではないので知らないけど、複合略語などの中で漢字の読みが変化するのとか、補充法っぽくないかな。*tṓkyṓ*「東京」＋*nárita*「成田」⇒ *kḗ-sḗ*「京成」みたいなの。*kyṓto*「京都」＋*ōsáká*「大阪」＋*kṓbe*「神戸」⇒ *kḗ-hán-sin*「京阪神」みたいなの。他の語彙で同じ条件ならどうなるかってのがあんまり想定できないから、ダメかな。漢字略語じゃない場合には基本的に補充法は起こらないよ。ダメかな。和語の数詞（*híto, húta, mí, yó, …*）と漢語の数詞（*íti, ní, san, sí, …*）とは、補充法関係じゃないかしら。助数詞の「人」が、数詞が一や二では *ri* なのに、それ以外では *niɴ* なのは補充とは言えないのかな。どうなの。

ことばの考古学

比較言語学

ヒトの歴史を取り扱う学問は、大きく二つある。歴史学と考古学である。ざっくりと、歴史学と考古学との違いは何かと言えば、前者が文書を手掛かりに歴史を再構築していく学問である一方で、後者は文書以外で歴史を探っていく学問であると説明するのが、恐らく一番反対意見の少ない言いかたになるのではないだろうか。

そして、歴史学が手を出せるか否かという区切りが、「有史以前・以降」という境目である。なので、地域によってその表現が指す時代範囲も異なる。一方で考古学はヒトの物質文化の痕跡から歴史を繙(ひもと)いていくので、更に古い時代から、有史以降までをまるっと対象とする。原理的には、その地域にヒトが暮らし始めた時点から、その地域は考古学的研究の対象となると言えよう。

さて、そうなると、もうすっかりばっちりヒトの歴史を知る手立ては尽くされていて、最早、別の分野から横槍を入れたりしたところで、茶々に過ぎないのではないかと思え、「勝ったッ！第三部完！」[*1]と指差ししたくなるかも知れないが、それはフラグ[*2]だ。「やったか⁉」と言えばやっていないのがお決まりなのと同じで、「勝ったなガハハ」は大概、後から負ける法則がある。勝ちの確信を宣言してはならないのは、(フィクションでは)世の常だ。

上の考古学の説明で、ちゃんと「隙」を書いた。考古学は、物質文化の痕跡を扱う学問である、と。つまり、非物質文化の痕跡は扱えないのである。では、非物質文化とは何であろうか。例えば、そうですね、言語とかどうですかね。思えば、《言語が単一起源ではない理由》の節でも、生物には化石があるのに言語には化石がないから起源を辿り切れないのだという旨を述べた。そう、言語には物理的に残存する形がないのだ。無形文化には他にも色々とバラエティがあるが、例えば音楽なら楽器、演劇なら舞台装置や小物や衣装、更には台本とか譜面とか、副次的な有形のモノは付随している。言語行為は身体一つで発する。一部の言語には文字があって、それが残されていたりもするが、過半の言語には何一つ、道具も形跡もない。非物質文化の筆頭と言っても過言ではないかも知れない気がしてきそうな予感を覚える気配もなきにしも非ずと思うことに罪はなかろう。

だから、言語という非物質文化が、歴史学からも考古学からも零れ落ちた、ヒトの歴史を探る手掛かりとしてはまだ候補として残されている。

どうやって言語を手掛かりとするか(一)

言語を手掛かりに歴史的なことを知ろうと思ったら、どういう手法があるだろうか。

それには前提として、その歴史的な謎が謎でなければならない。露骨に答えが見えていたら、それは改めて言語を手掛かりにして考える必要すらないのだから。それでもって、別の手段ででも良いのだけれども、言語で解ける謎でなければならない。そうなってくると、僕の脳なんかでは中々これといった謎は思い浮かばない。

例えば民族の移動などは、結構言語から知ることができる。

パキスタン北部はカラコラム山脈の中に、トポプダン峰（六一〇六メートル[*3]）という山がある。ゴジャール谷（上フンザ谷）にあるこの山の名称は、どうやらワヒー語の *tobon*「日当たりの良い、日影のない」と、ブルシャスキー語の *dan*「石」との組み合わせで名付けられているらしい[*4]。今でもゴジャール谷は、ワヒー語のほうが有力ではあるが、ワヒー語を話すヒク人と、ブルシャスキー語を話すブルショ人とが共存している。その谷で、居住区近くで最も目立つ山に、両言語の要素が入った名前が付いているということから、彼らの共存が古くからのものであることが窺い知れる。

ブルシャスキー語は、パキスタン北部でも東西に飛び地で分布している。その間は一〇〇キロメートルくらい離れていて、そこではシナー語というインド語派の言語が話されている。だが、そのシナー語圏の中にも、「～ダス」という地名や、「～タル」という谷名が見受けられる。これはブルシャスキー語の *das*「未墾地、荒れ地、沙漠」とか、*ter*「山の草地、夏営地」に由来した名付けだと考えられ、もしもそれらの地名が古くからあるのであれば、今はシナー語が話され、その民族であるシン人を中心として居住されているこの一帯の地域も、曾（かつ）てはブルシャスキー語圏であった可能性が考えられる。つまり、後からシン人らが入って来て、ブルショ人が東西に分断された歴史の、痕跡であると理解可能である。

インドにもブルシャスキー語話者はいて、ジャンムー・カシミール連邦直轄領のスリナガル市の一地区でのみ、話されている。これは、一九世紀後半の強制移住の結果である。[*5] こうやって言語が残っていてくれれば、例えば歴史書が記していなくても、移動の歴史を辿るヒントになってくれる。

地名から歴史を探り、立証するのは、日本でも北海道から東北、西は富山くらいに掛けて分布しているアイヌ語地名の研究が華々しい結果を出しているだろう。

もっと規模の大きな話で言えば、ヨーロッパのロマ人らのような、移動民の移動の経緯（いきさつ）なども、言語によって手掛かりを得ている話として有名である。今でこそ、彼らの自称も区々（まちまち）になってしまっていて、片や漠然とした概念である廃語用語の「ジプシー」なんかだと、本来的な民族以外も含んでしまってややこしいのだが、とにかくロマニ語やロマヴレン語やドマリ語やドマーキ語などを話している、金属加工とか音楽とか木彫とかを民族生業としていたりする彼らは、その言語がインド・ヨーロッパ語族インド語派的な特徴を色濃く保持していて、インド北東部辺りから西へと移動して行ったのだと推定されている。しかも地域毎の言語変種を見比べつつ、そこに含まれている経路上の言語からの借用語の量やジャンルなどから、移動と滞在の時期なども判ってきているようだ。つまり、長く留まっていた地域の言語からは、多くの借用語が入っている、もしくは音韻などの影響を強く受けているといったことが考えられるのだ。*6 彼らは地名を（少なくとも多くは）残さずに移動していったのだが、自分たちの言語を話し続けていたお蔭で、多くの歴史的証拠がその言語内に刻み込まれ残ったのである。

どうやって言語の手掛かりを発掘するか

ロマニ語などは、変化をしつつも自身の民族語の骨子を色濃く保っていたからこそ、彼らの足跡が明らかになった。この場合、変化と維持との双方が、歴史を知る手掛かりになっている。

言語は日々変化する。

古文として習った日本語と、国語として習った日本語とが違うのは、歴史的に変化したためである。

複数の言語で似ている特徴が見受けられた場合には、幾つかの理由が考えられる。共通の祖先に遡ることができる、「同系統」の言語であるから。もしくは、片方の言語からもう片方の言語へと、その特徴が影響して写ったから。あるいは、別の言語からそれらの両言語へと影響したから。または、偶然の類似である。

言語間の影響については、系統に無関係で、①地理的にあるいは交流などによって、隣接している言語同士が互いに似たり、②公的地位を持たされている言語や、支配者の言語など、威信的である言語から、限られたコミュニティで話されている弱小の言語に特徴が響き渡ったり、③あるいは逆に古くからの地元言語の色に新規参入の威信言語が染められたりすることなどがあり、そういった言語変化の動機を、「言語接触」などと呼ばれる。この内、②の威信言語から弱小言語への影響というのが多分を占めるだろうけれども、必ずしも一方向的ではなく、言語接触は双方向的である。

言語は常に変わるものなので、影響の伝播する仲介をした言語で、その特徴が失われてしまうこともある。そうすると言語特徴の飛び地や島が生まれることもあるが、それで必ずしも言語接触の影響を否定できるわけではないというのは、そういう可能性があるためである。

ブルシャスキー語フンザ方言で *minás*「物語」という単語が、スリナガル方言では *nimás*「物語」と言われる。これは音位転換【metathesis】と呼ばれる現象で、/m/と/n/という二つの音が、入れ替わる変化をどちらかで起こしたのである。一方で、「道」を意味する日本語の外来語 *rōdo*（ロード）[*7]と、漢語 *dōro*（道路）[*8]とは、やはり/r/と/d/とが入れ替わっているだけでアクセントまで合致しているが、これは音位転換ではなく、偶然の類似に過ぎない。

同系統の言語同士は、見比べてお互いの違いを観察することで、昔の、分岐する前の姿と

	梵語	ラテン語	ギリシア語	英語	独語	仏語	印欧祖語
蛇	*sarpá* (सर्प)	*serpēns*	*herpetón* (ἑρπετόν)	*serpent*		*serpent* /sɛʁpɑ̃/	*serp- 「這う」
太陽	*svàr* (स्वर्)	*sōl*	*hḗlios* (ἥλιος)	*sun*	*Sonne* /ˈzɔnə/	*soleil* /sɔlɛj/	*sóh$_2$wl̥
七つ	*saptán* (सप्तन्)	*septem*	*heptá* (ἑπτά)	*seven*	*sieben* /ˈziːbən/	*sept* /sɛt/	*saptá
塩	*sará* (सर)	*sāl*	*háls* (ἅλς)	*salt*	*Salz* /zalʦ/	*sel* /sɛl/	*séh$_2$ls
汗	*svéda* (स्वेद)	*sūdor*	*hīdrṓs* (ἱδρώς)	*sweat*	*Schweiß* /ʃvai̯s/	*sueur* /sɥœʁ/	*swóydos ~ *swidrōs
眠り	*svápna* (स्वप्न)	*somnus*	*húpnos* (ὕπνος)			*sommeil* /sɔmɛj/	*swépnos

表7．古典印欧語と現代印欧語の音対応を見る（空欄は同源語なし）

いうのを再構築することができる。歴史言語学とか比較言語学と呼ばれるこの学問は、緻密なパズルみたいな手法を用いるのであって、本一冊使ってもその方法論を述べ切るのは難しいのだが、音対応とその規則性や、類推による語形の画一化などといった現象を考慮に入れて、より自然な言語変化も念頭に置きつつ、推理を進めていくことになる。ただ「似ている」だけでは同系とは言えず、同じ環境なら同じ音対応になるなど、法則性が大事なのだ。

例えば、「蛇」を意味するサンスクリット語の *sarpá* (सर्प) やラテン語 *serpēns* に対応する古典ギリシア語が、*herpetón* (ἑρπετόν) と、語頭音が /s/ ではなく /h/ になっているのは、現代語も含めて表7に列挙した語句を見比べても、規則的だと言えるだろう。

即ち、サンスクリット語やラテン語の語頭の /s/ に、古典ギリシア語では /h/ が規則的に対応しているのだと言える。但(ただ)しこれは語頭だけの対応であり、古典ギリシ

ア語に /s/ がないとか、ラテン語の /s/ が常に /h/ になるとかという意味ではないことは、表7に示した例を見比べるだけでも分かるだろう。/s/ と /h/ とが交替するのは日本語にも見られ、例えば『広辞苑』(岩波書店) の編者としても有名な新村出[*9]なんかも、蛇の語について次のように述べている。

然しこのヘルペトンは云はゞセルペントの轉爬(ママ)で、希臘人といふ奴は上方人がアリマセンをアリマヘンなどといふやうにサ行音をハ行音に爬(ママ)る癖があつたので、セをへと轉じてセルペをヘルペとしたのぢや。

(「巳駄話」、新村 一九四三:二五四)

明治以降の言いかただとも言うが、京都方言の「書かはる」、大阪方言の「書きはる」にある「~はる」は、「(な) さる」に由来するので、/s/ から /h/ への転訛であると言えるだろう。質屋に「ヒチ」という看板が出ているのも見受けられる (図18)。但し、サ行全般の話ではなく「シ」が「ヒ」になるという話となると、これは上方のみに限った現象ではなく、東京の下町界隈でも観察される。曾て、通っていた大学が北区西ヶ原にあった頃、大学の周囲の鮮魚店の店頭で、シシャモに「ヒシャモ」と書かれた値札が付けられていたのを憶えている。[*10]

/s/ から /h/ に変化するのは、言語変化として自然だと言えるだろう。同じく、歯茎破裂音

図18. 質屋の看板に書かれた「ヒチ」
（大阪府摂津市、2015年）

の /t/ が母音の間で摩擦音の /θ/ になったり、語末で声門音の /ʔ/ になったり更には消失したりするのは実に自然だが、逆に /ʔ/ が /t/ になるような変化は、特段の理由がなければ起こらないような、不自然な変化である。何もなかったところに /t/ が発生するのもだ。何故、/ʔ/ から、/p/ でも /k/ でも /d/ でも /n/ でもなく、/t/ になるのかや、そもそも何もなかったところに破裂音を追加するのは何故かなど、物凄く確実で説得力のある説明がない限りは、言語学者で納得するものは存在しない。変化の自然さとは、知覚や運動といった、ヒトの生理学的メカニズムに由来する強い動機に裏付けられているのである。

どうやって言語を手掛かりとするか（二）

そのようにして言語の歴史的な姿を再構築することができたら、再びそれを、言語以外の歴史を探る手立てとすることが可能である。とは言え、飽くまで、再構築された古い姿の言語は、論理的に、理窟の上で導出された仮説のものであって、実際にそうであったという動かしようのない証拠があるわけではないので、その点は常に留意しなければならない。

有名な話では、オーストロネシア語族には祖語[*11]に遡れる語彙として、*paRiS[*12]「エイ」や*peñu「アオウミガメ」、*tsebuS または *tebuS「サトウキビ」といった（亜）熱帯に特有のもの、あるいは *layaR「帆」のような航海関係の語があることから、そもそもオーストロネシア諸語が分かれ始めた頃の人々は（亜）熱帯の海辺に暮らしていたのだろうと、一九世紀に唱えられた推定がある。今ではオーストロネシア語族の分化は、紀元前五〜六千年頃の台湾だったと考えられている。

一方で、ユーラシアを中心に広く分布しているインド・ヨーロッパ語族の祖語は、まだその位置が特定されていない。様々な仮説が唱えられていて、その論争の決着は付いたとは言えないままである。*bʰeh₂ǵos「ブナの木」（英語 *beech*）や、*laḱs「鮭」（スコットランド英語 *lax*）といった単語があることから、それらの生物の分布域と照らし合わせて、今で言うドイツやポーランドの辺りであろうと考えられていた。けれども、後に中央アジアの死語であるクチャ語（トカラ語B方言ともいう）で *laks*「魚」[*13]という単語が発見されたので、もう少し東の、ポントス・カスピ海草原辺りだろうという話に修正される。一応、この辺を祖地と看做すのが現在の一番ポピュラーな説だ。それよりももっと昔にアナトリアでヒッタイト語が分かれ出たのだとする、言語年代学という手法を用いた研究も後から出たが、計算のサンプルに使ったデータが恣意的であるなどと批判を受けて、今のところはその前の仮説を凌ぐ支持を貰えていない。

二〇二一年二月二四日～三月三日

注釈

*【1】『ジョジョの奇妙な冒険』より、スタンド「運命の輪（ホイール・オブ・フォーチュン）」の主の名言。相手が勝ち誇ったとき、そいつはすでに敗北しているのである。参照：荒木飛呂彦（一九九〇）『ジョジョの奇妙な冒険』一七巻、東京：集英社。

*【2】「フラグ」とは元来、プログラム用語であり、条件のオン・オフによって動作を変えたい時の、その条件を目印の「旗（*flag*）」と見立てた表現。「フラグを立てる」は、「条件をオンにする」と読み替えて良い。そこから、コンピュータ・ゲームなどで、先に進める条件が満たされたことを「フラグが立った」などと言うようになり、やがて敷衍して、コンピュータを離れても、ストーリーが展開するお決まりの伏線のことを「フラグ」などと言うようになった。例えば、戦争出征に際して「戻ったら結婚しような」などと言ったり、パニック映画で「お前ら（主人公を含む）なんかと一緒にいられるか！」などと言って単独行動をし始めたら、典型的には必ずその後の展開でそのキャラが死ぬので、「死亡フラグ」などと言われる。一方で、そのお決まり通りに動かないことを、「フラグを折る」などと言ったりもする。最近の創作業界は、何でも彼ンでもフラグだの何だのと言われ、フラグを折るのすらマンネリ化している。

*【3】日英のウィキペディアなどにもないので、取り敢えず位置だけでも詳細を述べると、フンジェラーブ峠のパ中国境から、フンジェラーブ川沿いに真西に五〇キロメートル、更にフンザ川と合流してから真南に五〇キロメートル伸びるゴジャール谷にあり、その南北に伸びる部分でフンザ川が西へと蛇行しているところに聳えている。北緯三六度三三分二四秒、東経七四度五六分〇〇秒。

*【4】「ワヒー語語彙サーチ」（http://www.coelang.tufs.ac.jp/multilingual_corpus/wakhi/）参照。このウェブページは作成者も調査者も書かれていないが、吉枝聡子（東京外国語大学准教授）、上岡弘二（同名誉教授）両氏の研究に基づいているものであろう。トポプダンの名前の由来に関し

ても、両氏との会話（二〇〇五年八月だったと思う）で知った。

*【5】僕は現地へ調査に行き、古老から一族の経歴を聞いてその歴史を知った。後から歴史記述に当たって再確認した。

*【6】例えば、南アジアから外へ出たロマニ語、ロマヴレン語、ドマリ語は、インド語派を含む南アジアの言語群に特徴的な反舌音のシリーズを欠いている。西アジア以西にはこれらの音が基本的にないため、その地域で失っていったのだろう。早々に別ルートを取ってカラコラム山脈内に落ち着いたドマーキ語は、反舌音を残している。一方で中東のドマリ語は、南アジアの諸言語も、ヨーロッパからコーカサス山脈に分布するロマニ語やロマヴレン語も持っていない咽頭化子音（/tˤ, dˤ/ など）を、アラビア語との接触で獲得している。

*【7】アメリカ英語 *road* /ɹoʊd/ に由来。

*【8】中古中国語 *dhàulò*（道路）に由来。

*【9】新村出（しんむら・いずる）、一八七六年生まれ一九六七年歿。京都大学名誉教授。専門は言語学と文献学。一九八二年以降、日本語学・言語学の学術賞として、新村出賞というものがある。新仮名遣い反対派だったので、名前は「いづる」と書かなきゃ怒られてしまうかも知れない。

*【10】僕は千葉県で生まれ育ったのだが、「蒲団をシク」とも「蒲団をヒク」とも言っていた気がする。内省だと「尻に敷く」は、「尻で敷く」と言っても構わないと感じるのだが、それが意味的に類似した「尻で踏む」のような構文からの類推に拠るのか、それとも同じく「車で轢く」との合流なのか（つまり「尻で轢く」）判別できなくて、自分の日本語感覚がふわふわしてくる。NHK番組「鶴瓶の家族に乾杯」（二〇二一年三月一日放送回）で、岩手県の老人に「獅子」「煤」「寿司」を発音させて、何と言ったかを中てるゲームをしていたのを観たが、東京の下町でだって「皮脂」「狒々」「詩碑」「四肢」辺りでゲーム化できるのではないだろうか。

*【11】比較による再建は、考察に含めている言語が分かれた時点まで遡ってその姿を推定する。「祖語」とは、考察に含められている同系統の言語全てが、最も初めに分化した時点の言語を再建したものである。その言語が発生した時点ではなく、分かれ始めた時点であることに注意して欲しい。

*【12】古形の再建で、議論の余地が残っている音素をしばしば大文字で書いたり、似ているけど異なる音素に番号を振ったりすることがある。例えば *S は、/s/ 的な音素であって、具体的にどういう音であったかが解らない、みたいな意味だと思って欲しい。表7にあった $^{*}h_2$ も同様で、印欧祖語には他に喉音として、$^{*}h_1$ と $^{*}h_3$ とがあると推定するのが一般的である。印欧語の喉音再建に関しては「喉音理論【laryngeal theory】」として有名なので、歴史言語学に関心のある方は解説書で調べたりググったりしてみて欲しい。

*【13】これはサンスクリット語では *lakṣá*（लक्ष）「一〇万の」に相当する。これは夥しい数の群れ成した魚を意味するのに用いていたところから、意味が変化したのだろうと言う。この辺りの話は、日本語で読みたければ風間（一九七七：一三五—一三七）などで紹介されている。*lakṣá*「一〇万の」は現代語でも同じ意味で、ウルドゥー語 *lākh*（لاکھ）やパシュトー語 *lak*（لک）、カシミーリー語 *lač̣h*（لچھ / लछ़）みたいに、更には別の系統の言語にも、テルグ語 *lakṣa*（లక్ష）、マレー語 *laksa*、スワヒリ語 *laki*、ラーオ語 *lakkha*（ລັກຂະ）などとして残っている。

日本語はこんなにも特殊だった

類型論

日本語は特殊な言語である。そう主張する人が、古今に亙って夥しく存在する。

　これは別に、日本語に限った話ではなく、言語、民族、文化、経歴、性格、才能など、自分に属する事柄を特別であると思いたがる人は世界中にいて、各々好き勝手に「我こそ特殊」論を提唱しているのである。研究者にだって、自分が研究しているこれは、他に比類なき空前絶後で天下無双の特殊性を備えているのだから凄いし、延いてはそれを解き明かしている自分も凄い主義の者があって、周囲をしてこっそり「トホホ」と言わしめている。

　だから僕は、大学院生辺りに対して講義をする時など、好機を見るや否や、次のように忠告したいのだ。

「あなたの将来研究する対象は、特別ではありません。それを肝に銘じましょう。そしてそんな期待を払っても払っても、どうしても凡庸だと見えない現象に限って、特殊性を考えて下さい」

　二〇一九年一〇月にひょんなことから、パキスタンのイスラマバードにある某大学で、急遽、言語学を専攻している大学生を相手にフィールド言語学の講義をする羽目になった。英語が堪能ではなく、ウルドゥー語も専門的な話をするには不足している僕だが、講義冒頭に用意したこの文句だけは、絶対に何とかちゃんとしっかりがっつり伝えようと頑張ったものだ。

さて、日本語特殊論者は、だがしかし、「そんなことありませんよ」などとやんわり諭しても、聞く耳を持ってくれない。吸鳴ったところでケンもホロロに馬耳東風だろう。

そういう時はどうするかと言えば、客観的データを突き付けるに限る。数字は雄弁だ。悪用しない限りは、その客観性が最大の強みとなって、説得の片棒をよいしょと担保してくれる。そこで本節では、主にWALS（The World Atlas of Language Structures：「言語構造の世界地図」、Dryer & Haspelmath (eds.) 2013）[*1]を参照にして、少しだけエスノローグ（二四版）も参照にしつつ、一〇〇項目に関して、なけなしの英語運用能力を駆使しつつ日本語の特徴を調べてみた。節の終わりの表8にざっと示したので、何となく眺めてみていただけたら幸いである。

日本語は平凡である

音韻、形態、統語、語彙といった言語特徴から見ると、日本語は実に半分以上の項目で、世界で最も在り来たりな言語の中に納まっていた。WALSという全球規模で言語を類型的に対照している研究でも、視点がどうしても西洋言語やメジャー言語中心に偏っている可能性は否めない。当然、参与した類型論者たちはバランスを取ろうとしているだろうが、項目立てされている一四四個のテーマや、その内部の分類パラメータの設定が、「え、そういう切り口になっちゃうの？」という部分もなくはない。そもそも、彼らが利用できた言語情報源自体に偏りがあるので、必ずしも全ての数字や分類の是非からして、鵜呑みにできるものではない。だから、飽くまで、参考程度の話ではあるのだが、それでも、半分以上の項目で「世界で一番多いパターン」（下（しも）に示す表8で、☆印の付いている項目）に該当しているとは、予想外だった。

　日本語が特殊だと主張する方は、もちろん言語学に精通していらっしゃるのであろうから、配慮せずに表中の項目は粗方（あらかた）、ＷＡＬＳでのパラメータの和訳程度にしてある。とは言え、そんな主張をなさっていない、日本語が特殊だとか平凡だとか、そもそも考えたことのない一般の読者の方には、やや取っ付きにくかろう。幾つかの用語に関しては、本書の各箇所で解説したり注釈を付けたりしているが、ここでも表からぽつぽつと項目をピックアップしつつ、説明していこう。表中の項目番号も併せて示す。

　学校教育で国語の時間に習った日本語は、言わずと知れた音声言語であり、手話言語ではない（一）。「イ」や「エ」などの舌の位置で唇を丸めて発音する母音を持たず（二）、「ガ」とか「ヲ」とかを付けて主語や目的語を明示する（三）。

　東ブルシャスキー語では *ài*「私の娘」、*gòi*「君の娘」、*èi*「彼の娘」、*mòi*「彼女の娘」とか、

oól「私の腹」、*guúl*「君の腹」、*yuúl*「彼の腹」、*muúl*「彼女の腹」など、必ず所有者を表現しなければならない名詞と言うものがあるが、日本語は*musumé*「娘」だろうが*hara*「腹」だろうが*namae*「名前」だろうが*ikari*「怒り」だろうが、持ち主を言わずに単独で発話できる(六)。数詞も、「六三」を*iski áltar iski*「三×二〇＋三」と表現するブルシャスキー語(二十進法)とは異なり、日本語では*rokuzyūsan*「六×一〇＋三」と、十進法である(三二)。

英語で*he is a teacher*「彼は教師だ」と*he is in the room*「彼は部屋にいる」とは、どちらも*he is X*という同じ表現になっているが、日本語では、「彼はXだ」と「彼はXにいる」という、異なった表現にせざるを得ない(一八)。英語の一音節語である*strengths* /stɹɛŋkθs/「強み」(CCCVCCCC)*2みたいな複雑な音節構造は持たず、*rṓn*「ローン」みたいに、日本語では子音が母音の前後に一つずつ入る音節(CVC)が最大だと言われている*3(三二)。

日本語は平凡とも稀有とも言いがたい

日本語は過去か過去じゃないかで、「話した」か「話す」かのような語形の区別をする。現在も未来も、「話す」であって、未来形という特別な語形を持たないのだが、これは世界の言語の約半数がそうなのである(四〇)。

世界の言語の半数に届かなくても、一番有り触れている特徴というのもある。

日本語と英語と中国語とを見比べたら、ＳＯＶ語順はマイナーだ。けれども、世界中を見渡せば、ＳＯＶが最もメジャーな語順である（四六・）。

「誰」とか「何」みたいな疑問詞に、累加の接語である「も」を付ければ、「誰も」、「何も」と、全てを指す表現になるというのは、世界の言語を見ると三つに一つくらいしかないのだが、それでも全ての要素を指す表現の作りかたとしては最もポピュラーなものである（六五・）。

片や、凡（およ）そ半数の言語がその特徴を持っていても、最もメジャーだとは言えない特徴というのもある。*konó hón*「この本」は、英語 *this book* でも、中国語 *zhè běn shū*（这本书）でも、世界の四四・二パーセントもの言語で、指示詞が先で名詞が後ろになっている（五〇・）。けれども、最も多いパターンは、ベトナム語 *cuốn sách này* や、アイルランド語 *an leabhar seo*、ヨルバ語 *iwe yi* などのような、指示詞が後ろに来るものであるそうだ（四五・九パーセント）。

同じように、日本語を含む四四・〇パーセントの言語が持っている特徴として、*néko=to inu*「猫と犬」みたいな「&」に相当する表現と、*néko=to asondá*「猫と遊んだ」みたいな共同者の表現とが同じであるというものがある（五二・）。これも結構な割合を占めている気がするが、二分法で分類されているので、英語の *and* と *with* といったように、異なった表現をする言語（五六・〇パーセント）に負けてしまっている。

日本語は稀有である

助数詞を使うというのは、中国語やタイ語など、日本の周りに多く見受けられるが、これは地域的な偏りの強い特徴であり、世界的に見れば五言語に一つと、マイナーな特徴である（七八）。

音韻的なことで言えば、/l/ のような、側面音（舌で口腔の中央を塞ぎ、舌の側面の隙間から気流を通して発音する子音）を持たない言語というのも案外少なく、六言語に一つくらいと、更に珍しい特徴になっている（八三）。

序数詞が「第Nの」「N番目の」みたいに、数詞をベースに規則的に作れ、しかも「第一の」からその規則が適用される言語となると、七言語に一つである（八八）。確かに、英語では *first, second, third* と、「第三の」まで不規則な語が登場しているし、ブルシャスキー語だって *altó*「二つ」と *altóulum*「第二の」以降は規則的に作れるが、*hik*「一つ」と *awwál*「第一の」[*4] とは互いに無関係な語形である。

この辺りの特徴ばかりを論えば、日本語は特殊だとも言えそうである。飽くまでも、恣意(しい)的にこういうものを選べば、という話に過ぎないが。

主要部内在型関係節と呼ばれる現象があるのも珍しい（九三）（この段落では、関係節を

［　］で示す）。「［すたこらと泥棒が逃げる］のを見た」は、見た対象物は泥棒であるが、「すたこらと泥棒が逃げる」から、関係節を使って泥棒の説明をした「［すたこらと逃げる］泥棒」を用いて、「［すたこらと逃げる］泥棒を見た」とするのではなくて、「泥棒」が関係節の内側に留まったままに形式名詞「の」を修飾しているのである。けれども見た対象は泥棒なのだ。何が特殊なのかは、日本語だけで考えるとよく見えてこないかも知れない。ヨーロッパの言語が得意な人は、その得意の言語で「［すたこらと逃げる］泥棒を見た」ではなく、「［すたこらと泥棒が逃げる］のを見た」と表現してみて欲しい。多分、容易にはできないはずだ。

　主語も目的語も動名詞句の中では属格で表現できる（九七）とされている件に関しては、どういうことなんだかよく分からない。この特徴に関して取りまとめたKoptjevskaja-Tamm (2013) が参照している資料であるMartin（1975）も、諭吉を犠牲に献げ買い求めて、一二〇〇ページ近くあるそれにざっと目を通してみたが、どこを読んだらそう分類できるのかが今一つ把握できなかった。[*5] 普通に考えると動名詞句で「猫が犬を追い駆けたこと」を「猫の犬を追い駆けたこと」にはできるが、「*猫が犬の追い駆けたこと」にはできないだろう。目的語が属格の「の」で表現され得る、動名詞句とは何だろうか。名詞＋スルという動詞を含んだ「私が本を購入する」を、「私の本の購入」とするような話だろうか。だとしたら語彙的に制限が強くて、「日本語は主語も目的語も動名詞句の中で属格で表現できる」と言い切るのは危険な気がする。

この辺りは類型論研究の危ういところを反映していると言えるかも知れない。つまり、その言語を知らない者が、何等(なんら)かの記述研究を参照してタイプ分けをするのだが、その言語を知らない以上、その資料がどれだけ信用できるかも不明瞭だし、間違いがあっても気付けないのである。類型論研究は、この点を克服する方策を練らないと、いつまでも不安が残ろう。

二人称代名詞と敬語との関係で、区別をしないでも、常体と敬体とだけを分けるでも、数種類の代名詞を使い分けるでもなく、敬語では二人称代名詞の使用を避けるというのは、日本語話者にとっては自然な気がする。そもそも日本語で二人称代名詞は、自然発話では限られた場面でしか使わないのではないか。この、敬語で代名詞を用いないというのは、やはり東〜東南アジアでは間々見られる現象だが、その他の地域には一切ない特徴らしい（九八）。

言語内の特徴ではないが、母語であるか否かを捨象して話者数が一億人を超える言語は、エスノローグによれば世界に一三言語しかないらしく、日本語が一三位だ。七〇〇〇を超える言語の中で、たったそれしかないのだから、珍しいと言える（言語外的）特徴である（九九）。但(ただ)し面白みはなかろう。

日本語で僕が珍しい、特徴的だと感じるのは、文字表記に関してである。ひらがな、カタカナはどちらも漢字から発展した文字体系だが、同じ音を異なる字形で網羅しているという点で、別の文字体系だと考えられる。そして日常的に、漢字も用いて文章を読み書きしてい

日本語は、平凡である。
日本語は、平凡とも稀有とも言い難い。
日本語は、稀有である。

る。実に三種類もの文字体系を、同時並行で使っているのだ。これは珍しかろう。恐らく他に例がないと思われる（一〇〇）。曾（かつ）て、朝鮮半島でも漢字・ハングル混じり文を読み書きしていたが、今ではハングルに統一されている。古代エジプトでヒエログリフ、ヒエラティック、デモティックという三種類の文字体系があったようだが[*6]、同じ文書内に何等かの使い分けで登場したりすることはなく、ジャンルや時代によって選択されていたようなので、やはり様子が異なる。パフラヴィー語などでは「訓読」なんかもあったが、使っている文字体系は一種類で、語によって字面通りに音読みするか、それとも訓読みするかが異なっていたに過ぎない[*7]。

表8．日本語の特徴と世界の言語における共有度（☆は最主流の特徴）

一．音声言語である	☆九七・九％
二．前舌円唇音を持たない	☆九三・四％
三．主語／目的語のいずれかには明示的な標示を持つ	☆九三・一％
四．両唇音も摩擦音も鼻音も持つ	☆八八・七％
五．希求法を持たない	☆八五・〇％
六．所有者を義務的に表現する名詞類を持たない	☆八二・四％
七．数による動詞の補充法を持たない	☆八二・四％

八、使役の構文を形態的派生で作り、複合では作らない……☆八一・九%
九．格の標識が格のみを表す……☆八一・六%
一〇．ＴＡＭの標識がＴＡＭのみを表す……☆八一・四%
一一．吸着音も唇・硬口蓋音も咽頭音も歯摩擦音も持たない……☆七九・二%
一二．両唇・歯茎・硬口蓋破裂音が全て有声・無声で対立する……☆七八・五%
一三．屈折要素が完全に語の一部である……☆七五・八%
一四．逆受動の構文を持たない……☆七五・三%
一五．主語項の関係化を空所法で賄う……☆七五・三%
一六．鼻母音を持たない……☆七三・八%
一七．声門音を持たない……☆七二・一%
一八．名詞述語文と所在文とが構文的に異なる……☆六九・七%
一九．疑問詞が疑問句の冒頭に義務的に移動しない……☆六八・二%
二〇．側置詞に人称標示をしない……☆六六・三%
二一．共格と具格とを別々に持つ……☆六六・一%
二二．独立代名詞に包括／除外の区別を持たない……☆六三・八%
二三．十進法の数詞体系を持っている……☆六三・八%
二四．時制・相に関連して補充法を持たない……☆六三・七%

二五．屈折型の格を持たない……☆六二・一％
二六．諾否疑問文を疑問小辞で表現する……☆六一・三％
二七．不定代名詞が疑問詞に基づく……☆五九・五％
二八．諾否疑問文の標識が文末に出る……☆五九・四％
二九．時制・相の標識を接尾辞で賄う……☆五九・〇％
三〇．相互表現を再帰とは別の表現で賄う……☆五六・六％
三一．音節構造がちょっと複雑である（一音節に子音を二つまで持てる）……☆五六・四％
三二．証拠性を動詞にくっ付ける要素で表現する……☆五五・三％
三三．属格名詞が名詞に先行する……☆五四・八％
三四．名詞述語文にコピュラを要する……☆五四・七％
三五．適用の構文を持たない……☆五四・六％
三六．完結・未完結を文法標示で区別しない……☆五四・五％
三七．連合複数に累加複数と同じ標識を用いる……☆五二・三％
三八．完了形を持たない……☆五一・四％
三九．母音数が平均的（五～六個）である……☆五〇・九％
四〇．未来形を持たない……☆五〇・五％
四一．硬口蓋鼻音 /ɲ/ を持たない……☆五〇・一％

四二．複他動詞「与える」に直接目的語と間接目的語を使う……☆五〇・〇%
四三．斜格項の関係化を空所法で賄う……☆四九・一%
四四．後置詞を多用する……☆四八・七%
四五．複数接尾辞で複数を表す……☆四八・一%
四六．ＳＯＶ語順を好む……☆四七・五%
四七．度合いを表す語が形容詞に先行する……☆四七・二%
四八．比較表現を場所表現で賄う……☆四六・七%
四九．指示詞と三人称代名詞とが異なる……☆四四・四%
五〇．指示詞が名詞に先行する……四四・二%
五一．強調表現と再帰代名詞とが別々である……四四・〇%
五二．「＆」と「一緒に」とを区別しない……四四・〇%
五三．代名詞も名詞も同じ格体系を持つ……☆四三・九%
五四．受動の構文を持つ……四三・四%
五五．数詞「一」とは無関係の不定冠詞を持つ……四二・九%
五六．過去形を一種類だけ持つ……☆四二・三%
五七．強い接尾辞型言語である……☆四一・九%
五八．数詞が名詞に先行する……四一・六%

五九．子音÷母音数の比が平均的である……☆四一・五％
六〇．所有表現が従属部標示型である……☆四一・五％
六一．名詞類と動詞類とで列挙のしかたが異なる……四一・五％
六二．間接的な証拠性のみを意味的に区別する……三九・七％
六三．認識上の可能性を動詞だけでは表現できない……☆三七・九％
六四．指示詞を三系統で分ける……三七・六％
六五．疑問詞に累加の表現を足して全体を表す表現を持つ……☆三七・一％
六六．代名詞が主格・対格の格配列である……三六・一％
六七．動詞一語で四〜五個の文法カテゴリを標示できる……☆三五・九％
六八．否定を接辞で作る……三四・一％
六九．動詞上に人称・数の標示を取らない……二八・八％
七〇．有声・無声対立が破裂音と摩擦音との両方で見られる……二七・九％
七一．形容詞が名詞に先行する……二七・四％
七二．状況可能を動詞接辞で表現できる……二六・九％
七三．統語関係が従属部標示型である……二六・七％
七四．単純な音調の区別を持つ……二五・〇％
七五．名詞が主格・対格の格配列である……二四・二％

七六．子音数が平均よりちょっと少ない（一五～一八個）……二一・七％
七七．所有の叙述を場所表現でする……二〇・〇％
七八．助数詞が義務的である……一九・五％
七九．格を後置接語で標示する……一八・九％
八〇．肯定形と否定形とで活用体系が常に異なる……一七・八％
八一．名詞修飾する動詞句が名詞に先行する……一七・一％
八二．分布数を数詞に接尾辞を付けて表現する……一六・九％
八三．側面音を持たない……一六・八％
八四．二人称の単複双方に共通した命令形を持つ……一六・二％
八五．三人称単数だけが性別によって異なる代名詞を持つ……一六・一％
八六．願望表現を動詞接辞で表す……一五・九％
八七．従属節の標識が従属節末に出る……一四・七％
八八．基数詞から規則的に序数詞が作られる……一四・二％
八九．指示代名詞と指示形容詞との統語的振る舞いが異なる……一〇・四％
九〇．完全重複は持つが部分重複を持たない……九・五％
九一．格が八～九種類ある……八・八％
九二．代名詞主語を主語位置に代名詞で表現しても良い……八・六％

九三．主要部内在型関係節を持っている……七・六％

九四．独立代名詞の複数形を名詞と共通した複数接辞で表す……七・三％

九五．定冠詞を持たないが不定冠詞的なものを持つ……七・三％

九六．ヒト名詞にのみ任意で複数標示をする……六・九％

九七．主語も目的語も動名詞句の中では属格で表現できる……五・六％

九八．敬語で二人称代名詞の使用を避ける……三・四％

九九．話者が一億人を超す言語である……〇・二％

一〇〇．三種類の文字種を併用して表記する……唯一

二〇二一年二月二六日〜三月三日

注釈

*【1】何人もの研究者が分担して、その名の通り、世界の言語を類型論的視点であれこれ対照し、網羅的、かつ、統計的に、世界の言語の傾向を総覧しちゃおうという大胆な研究の集大成。それぞれのテーマに地図が付いていて、地理的分布も一目で分かる優れもの。日本の言語学者からは、「ウォルズ」みたいに発音して呼ばれることが多い。「ワールド・アトラス」と呼ぶ人もある。

*【2】Cは子音【consonant】、Vは母音【vowel】を表す記号。

*【3】江戸っ子とか地元っ子みたいなノリで、*bārēńkko* [ba:re:ŋ́kko]「バーレーンっ子」と言った場合の音節はどうなんだろう（「オマーンっ子」でも可）。第二音節に子音が三つ入って、[ba:re:ŋ́k.ko]（CV.CVCC.CV）じゃないんだろうか。

[ba:re:ɲ̊k.ko]（CV.CV.CC.CV）なんだろうか。日本語が専門の方に教えてもらいたい。

*【4】ウルドゥー語 *awwal*（اول）からの借用語。ウルドゥー語でも、元々はアラビア語から借用しているので、数詞 *ēk*（ایک）「一つ」と無関係な語形になっている。

*【5】一箇所、もしかしたらと思ったのは、Martin（1975: 639）で *háha ga kodomo ga/o yobi-tai*「母が子供｛が／を｝呼びたい」という願望を表す文から、①主語である「母」を連体修飾（関係化）した表現として *háha ga/no yobi-tai kodomo*「母｛が／の｝呼びたい子供」、②目的語である「子供」を連体修飾した表現として *kodomo ga/no/o yobi-tai háha*「子供｛が／の／を｝呼びたい母」という例が挙げられているのである。確かにこれだけを見ると、「主語も目的語も連体節＝動名詞句の中で属格標示を許している」と言えなくもなさそうだが、それは「〜したい」という構文が、「水が飲みたい」みたいな主格目的語を許し、連体節＝動名詞句の中でガノ交替（主格・属格交替）があるからであって（《軽率に主語を言えとか言う人へ》の節も参照のこと）、主格・対格・属格の交替は非常に限られた場面でのみ起こっているとしか言えない。他にも数箇所、「が／の（／を）」としているところもあるが、いずれも同じようなパターンだ。これを根拠としたなら分類ミスである。

*【6】シンプルに言えば、ヒエログリフ（聖刻文字）は、碑銘などに用いられた彫り文字。ヒエラティック（神官文字）は、書記官によってインクで書かれた筆記文字（粘土板や石材に刻まれた例もある）。デモティック（民衆文字）は、ヒエラティックを簡略化したような後発の文字。

*【7】パフラヴィー語（中期ペルシア語の一種）はアラム系の文字を用いる、インド・ヨーロッパ語族イラン語派の言語であった。アフロ・アジア語族セム語派のアラム語での綴り字で、パフラヴィー語の発音をするのをここでは「訓読」とした。例えば、「犬」はアラム語で *kalbā* であり、綴り字は klbʾ（𐡊𐡋𐡁𐡀 / ܟܠܒܐ）であった（アッシリア現代アラム語でも *kálbā*（ܟܠܒܐ））。一方でパフラヴィー語では全く違う *sag* という語形だったため、文字体系は違うがアラム語と同じように klbʾ（𐭪𐭫𐭡𐭠）と書いて、そう書きつつも *sag* と読んだのである（現代ペルシア語では語形も綴りも *sag*（سگ））。ちょうど、中古中国語で「犬」を表した語 *kʰwen* の綴り字「犬」に、日本語で *inú*（いぬ）という訓読みを宛てているのと並行的である。

なくなりそうな日本のことば

方言と言語・危機言語

急だが、日本で話されている言葉と聞いたら、幾つ思い浮かぶだろうか。

日本語はまず思い浮かぶだろう。何せ、この本も日本語で書かれているのだから。

アイヌ語を考えた人もあるかも知れない。曾（かつ）てはもっと広範囲で話されていたアイヌ語は、今では日本の北海道だけに僅かに話者が残っている。樺太や千島列島、本州のアイヌ語などは消滅してしまった。

日本手話を思い浮かべた人はどれくらいいるだろうか。国内の聾者の多くは、聾学校などで日本手話を学ぶ。日本手話は、日本で話されている手話言語の筆頭である。*1

琉球諸語も最近では別の言語として考えられている。世界の言語に関して総括的に情報を持っているデータベースであるエスノローグなんかは、琉球・奄美の言語を日本語とは別の言語として表9のように、一一個に分けてカウントしている。

この分類を基準にしてUNESCOのような国際組織が危機言語の話などをして、日本には消滅の危機に瀕した言語が幾つ幾つ

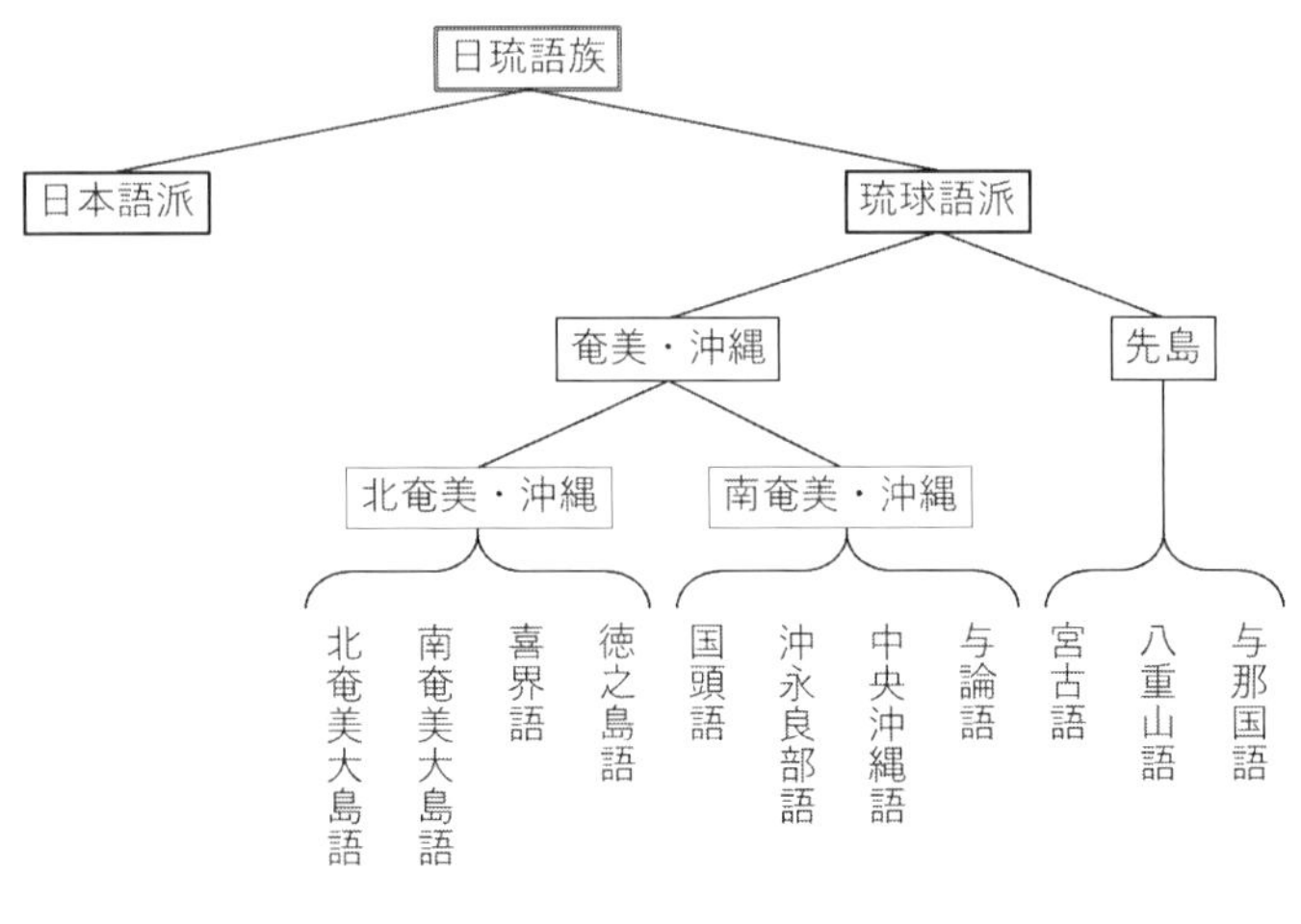

表9．エスノローグ（24版）による琉球諸語の分類

あるといったような声明を出したりするのだが、この分類が必ずしも正しいとは限らないので、その辺りは注意が必要だ。

例えばPellard（2009）やShimoji（2017）などを見ると、まずは「奄美・沖縄諸語」と「先島諸語」とは、「北琉球諸語」と「南琉球諸語」とするのが良さそうだし、南琉球は宮古か八重山かに二分され、更に後者（八重山）が八重山語と与那国語とに分割されると考えるのが主流っぽい。宮古語も、内部で多良間と共通宮古とで分けて考えるべきであるように見えるし、Shimoji（2017）はその後者（共通宮古）を池間・伊良部と中央宮古とに分けて、その前者を記述した文法書になっている。

琉球諸語は日本語とは別の言語なのか

だが、このように琉球語の話になると、途端にもやもやとし始める点がある。「え、沖縄方言じゃないの?」ってなる人だっているだろう。確かに二〇世紀までは日本語の方言として扱うのが主流だった気がする。それが二一世紀なってから、段々と日本語ではない言語として扱うのが流行り出している。

何度もあちらこちらで話しているので重複するかも知れないが、まず大事な点として、言語か方言かという切り分けは、絶対ではないということに気を付けていただきたい。[*2] 社会的な理由があったり、相互理解可能性みたいな(それ自体がふんわりした)判断材料が持ち込まれたり、[*3] 文化的な異同を考慮したりなど、様々な動機からやれ言語だの方言だのと言われるのだが、そのラベル付け自体が、ある種の目安に過ぎないのだ。そして、いずれにしても、言語であれ方言であれ、何かしらの違いがある「変種」であることに違いはない。なので、東京方言と大阪方言とを別の言語であるとカウントしても、あながち間違いとは言えないのである。この辺りの深掘りした話は《僕は言葉》の節を参照して欲しい。

話題に上がることの少ないもう一つの言語

ところで、小笠原語を知っている人はいないだろうか。これは琉球諸語よりも更にマイナーな国内言語である。この言語の系統を簡潔に言うのは難しい。日琉語族でもあるし、インド・ヨーロッパ語族でもあるし、そのどちらでもない要素も混ざっている。

言語系統の話をする際に、クレオール（混成言語）はいつだって厄介者である。クレオールは、複数言語が接触した場面で、意思疎通のためにその複数言語を単純化しつつ混ぜこぜにした簡易な言語代用物が生じ（これをピジンと呼ぶ）、その言語代用物（ピジン）が用いられている環境内で生まれ育った世代が、脳内で急速にそれを発達させて言語に昇華したのがクレオールである。だが、小笠原語はクレオールではない。

似た環境で、だけどピジンほど言語が単純化せずに組み換え直す感じで表現自由度を獲得した言語もあり、そういうのは「クレオールっぽいもの」という意味で、クレオロイドと呼ばれたりもする。だが、小笠原語はクレオロイドでもない。

混成言語と似て非なる概念として、混合言語【**mixed language**】というのもある。これは、複数の言語が、それぞれの特徴を保ったままに織り交ぜて使われる話し言葉のことを言う。「猫が犬を追い駆けた」というメッセージを言うために、「*cat* が *dog* を *chase* した」とか、

「猫追い駆ける-*ed* 犬」とか言ったら、日本語と英語との混合言語っぽい。「キャットがドッグをチェイスした」は音韻特徴もが日本語に寄ってしまっているので、混合言語ではなく、英語かぶれの日本語じゃないだろうか。小笠原語は、混合言語である。*4

ダニエル（二〇一八）によれば、小笠原語（小笠原混合言語）は、幾つかの日本語方言が接触する中で生じた小笠原方言とも言える日本語と、南洋系言語や英語の接触によって培（つちか）われてきた小笠原クレオロイド英語とでも言える言語とが、入り混じって用いられる、混合言語だと言える。単なる日本語と英語との混ぜこぜでもない。基盤になっているのは日本語小笠原方言のほうだ。

(27) 小笠原語（ダニエル　二〇一八：二六六）
—*Me* ら「タバコ吸う」と言うじゃ。日本は違う。「タバコ飲む」と言うだろう。

—「飲む」？　*No kidding*？

（私たちは「タバコを吸う」って言うでしょ。日本は違う。「タバコを飲む」って言うみたい。／「飲む」？　本当に？：筆者訳）

(28) 小笠原語（ダニエル　二〇一八：二七九）
また見るよ！

（また会おうね！）

例文（27）からは、一人称複数の代名詞が「私たち、私ら」でも*we*でもなく、「*me*ら」という形式になっているのが窺える。ちなみに、話している内容は標準的な日本語への誤解である。例文（28）は、英語（小笠原クレオロイド英語）の*see*からの干渉で、日本語なら「会う」を使いそうな場面で、小笠原語だと「見る」という動詞を使用する例である。

なお、小笠原語は公式な場面では使われず、そういった場では小笠原英語や小笠原日本語が用いられる。

日本の大きい言語から小さい言語まで

日本語は、世界でも有数の大言語である。言語か方言かの区別がふわふわしているので前後する可能性もあるが、世界で九番目に母語話者が多い言語であると言っても、過言ではない。[*5] 母語話者数は約一億二五〇〇万人に上る。

アイヌ語は、消滅の危機に瀕している、なくなりそうな言語の代表格だ。話者数は片手に収まる。単言語話者は存在せず、アイヌ語話者の全員が日本語も話す。樺太方言の最後の話者は一九九四年に亡くなった。話者数にカウントはしていないが、学習者は少なくなさそうであるし、教材も教室も多い（と僕は感じる）。

日本手話は、一二万六〇〇〇人ほどが話す言語であるとされているが、正確な数は分からず、二万人強から三〇万人強まで、資料によってその話者数はバラついている。公的な地位こそ持っていないが、近年はＴＶでの公的な情報発信で、日本手話通訳が付いていることが徐々に増えてきてはいる。[6] 聴覚障碍者人口だけ見ても二九万七〇〇〇人（平成二八年）[7] なので、その半分以下しか話さないようにも思えるが、「聴覚障碍者」には、言語獲得期以前の失聴者も中途失聴者も含めば、難聴者も重度聴覚障碍者（医学的聾者）[8] も含むので、この統計人口ばかりを考えるわけにはいかない。必要としている人口に対する日本手話習得者の割合は、この言語がなくなりそうだとは言えないくらいに大きいはずだ。そして、別の手話に取って代わられるという危惧も、現状はなさそうである。なくなりそうな言葉ではないと言えよう。

　琉球諸語は、正確な話者数は把握しづらい。中央沖縄語の話者が百万人いるとしているデータもあるが、それは嘘だ。沖縄県人の三人に二人が話しているとは到底考えられない。伊豆山（二〇〇二）では、琉球諸語全体での話者人口を、多く見積もっているのか少なく見積もっているのかは不明だが、仮に二五万人と推定している。中央沖縄語などの大きい言語もあれば、例えば与論語や与那国語[9] などは、それぞれ千人に及ばないだろう。手を拱（こまね）いて、のほほんと言語話者数の推移を傍観しているには心許（こころもと）ない数字である。特に、若年層の話者比率が下がっているようなので、安心はできない。言語学者たちも既に、保全へ向けて動き出している。

小笠原語は、話者人口が分からない。公の場で使おうとしないことも、数字を暈かす一因かもしれない。けれども、実状として、話者がぐんぐん減っているのは確からしい。小笠原諸島の人口は合計でも二五〇〇人程度だし、近年に島外から移住して来た人たちや、若者らはもうこの言語を話さないようなので、多く見積もっても話者人口は三桁以下なのではないだろうか。(標準的とされる)日本語も英語も義務教育で既に学ぶ科目なので、そんな中で小笠原日本語と小笠原英語との混合した小笠原語が永らえていくのは、至難と考えるのが順当だろう。

冒頭から僕は「日本で話されている言葉」と言っていた

さて、日本で話されている言葉は、以上だろうか。

そんなわけがない。次に挙げる言語名を見れば判ると思う。

朝鮮語[*10]。中国語。ブラジル・ポルトガル語。英語。ベトナム語。ネパール語。インドネシア語。タイ語。

そう、海外が出自の人や、その子孫だって日本には住んでいる。もしくは日本に来たてほやほやの帰国子女で、日本語より得意な言語を持つ「日本人」だって存在する。ウルドゥー語話者も、パンジャービー語話者も、パシュトー語話者も、コワール語話者も、シナー語話者も、ブルシャスキー語話者も日本にはいる。ドマーキ語話者がいるって話は聞いたことがないけど、いる可能性は否定できない。

彼らは日本語を学ぶ努力をしていたり、修得して日本語をぺらぺらと話していたりするかも知れない。けれども、日本語を覚えたら自分の母語などを忘れてしまう、なんてことはない。そして同郷の人や得意言語で話のできる相手を見付けた場合には、日本語ではなくその言語で話すことだってあろう。だから、日本で話される言語に彼らの言語は含まれるべきである。

どうしても「日本で話されている言葉は?」などと言うと、うっかり日本の領域もしくはその周辺地域くらいが起こりであったり、分布の中心であるような言語のことばかりを考えてしまいがちだが、こういった質問には大概、そんな縛りは設けられていないのだ。

上に述べたエスノローグによると、日本国内の話者数は次の表10のようになっている。言語名は、エスノローグのままにしてあるので、本書の別の箇所と嚙み合っていないものも含まれている。

表10．エスノローグ(二四版)による日琉諸語、日本手話、アイヌ語以外の日本のことば(国内話者数)

朝鮮語	九九万八〇〇〇人

中国語普通話	五四万　九〇〇〇人
タガログ語	四九万　九〇〇〇人
ポルトガル語	二七万　人
スペイン語	一六万　八〇〇〇人
閩南（びんなん）語	七万　五〇〇〇人
英語	七万　四〇〇〇人
東パンジャービー語	七万　一〇〇〇人
ベンガル語	七万　人
ペルシア語	五万　一〇〇〇人
粤（えつ）語	三万　六〇〇〇人
ベトナム語	一万　四〇〇〇人
マレー語	一万　人
タイ語	一万　人
呉語	七〇〇〇人
フランス語	六三〇〇人

これら、もしくはここに挙がっていないけど日本国内で話されている言語は、その言語保

存の度合いに関して、特段語られることがない[*11]。

　ここに挙がらないような、国内話者数の少ない言語でも、言語本拠地では溌剌（はつらつ）としている言語もあるだろう。但（ただ）しその言語が日本国内で危機にないかは判らない。恐らく、これまでもこれからも、国勢調査などで調べる気はないだろう。日本はそういう国だ。

　一方で、そもそもが少数言語である言語の話者が、たまたま巡り合わせで日本に暮らしている可能性も排除できない[*12]。そうするとそれは、世界的に見ても日本国内で見ても、なくなりそうな言葉たり得る。しかしそれが、なくなりそうな日本国内の言葉として広く認識されることは決してないのだ。

　隣人の死に鈍感になってはいないか。

　エキゾチックな遠い土地、遠い文化に憧れるのも素敵だけれども、同じ国の中でも、様々な人たちが、様々な生活の中で、様々に異なる発想を抱えた言葉を話しているという事実もまた、思いを馳せるのに相応しい価値を持っている。そう僕は思う。

二〇二一年一月二九日〜二月五日

注釈

*【1】日本手話の他に、宮窪手話という別系統の言語が愛媛県今治市の大島（宮窪地区）にあることが知られている。この言語はもう消滅しかかっているが、二〇〇〇年代初頭までは、聾者のみならず健聴者までもが用いていたという。この言語は、この地域のコミュニティ内で自然発生して発達した手話だと考えられ、村落手話【village sign】などと呼ばれる類の、系統的孤立語である。

「手指日本語」という、手話っぽいけど手話ではない表現ツールもある。これは「日本語対応手話」という名称で呼ばれることもあって、恰も独特な言語であるかのように扱われたりもするが、手話と同じように手指の動作を用いてはいるものの、音声言語の日本語を手指で表現しているだけである。音声を文字に変えても日本語は日本語なのと同じで、音声を手指に変えても日本語は日本語である。僕は手話関係の専門ではないので深く論じることはできないが、このコミュニケーション・ツールを手話にカウントするのは避けたほうが良い。

*【2】これは、同系統の言語変種同士の間での線引きの話である。例えば日本語とアイヌ語、日本語と日本手話などは、互いに全く別系統の言語であるため、これを「方言」扱いすることは勿論できない。

*【3】なお、日本語と琉球諸語とは相互理解できないし、北琉球と南琉球とでも無理である。もっと言えば、南琉球諸語の中でも、宮古と八重山との間はほとんど相互理解不能だとShimoji（2017: 3）は言う。

*【4】中川（一九九五：一九三）には、次のような、日本語北海道方言とアイヌ語との混合言語的な発話が出てくる。

シサム *sisam* ばアシパレ *aspare* する気なったら、アンコロイタク *an=kor itak* ばかりいうから。で、ウコイタク *ukoytak* するからな。
（和人をつんぼさじきにおく気になったら、アイヌ語だけでいうから。それで会話するからな。）

*【5】文部科学省のウェブサイトにも、日本語は母語話者数で世界第九位の言語であると主張するデータがある。（文部科学省「（1）世界の母語人口（上位20言語）」https://www.mext.go.jp/b_menu/shingi/chukyo/chukyo3/004/siryo/attach/1379956.htm、二〇二一年二月四日閲覧）

*【6】通訳と言えば、昨今の日本の政治家の笑えない迷言は、どのように訳されているのだろう。かなりの通訳者泣かせな発言が相次いでいるようだが。「今のままではいけないと思います。だからこそ日本は今のままではいけないと思っている」（小泉進次郎環境相（肩書きは発言時）、二〇一九年九月二三日）や、「幅広く募っているという認識でございました。募集してるという認識ではなかったので

す」（安倍晋三首相、二〇二〇年一月二八日）など、日本語で聞いても無意味でガッカリだが、これを別の言語へ誤訳だと思われないように訳そうと思ったら、折れる骨が何本あっても足りない。

*【7】厚生労働省「平成28年生活のしづらさなどに関する調査（全国在宅障害児・者等実態調査）」（https://www.mhlw.go.jp/toukei/list/seikatsu_chousa_c_h28.html、二〇二一年二月三日閲覧）より算出。

*【8】世界保健機構（WHO）基準で言えば、両耳で二五デジベル以上の音しか聞こえなければ難聴【hard of hearing】、同じく九〇デジベル以上の音しか聞こえなければ聾【deaf】である。

*【9】山田（二〇一六）によれば、約三〇〇人。

*【10】「朝鮮語」ではなく「韓国語」と呼ぶべきだとか、それら二つは別言語であるだとか、色々な意見が世の中にはあるだろう。僕は、朝鮮半島の言語という意味で「朝鮮語」という名称を用いるし（朝鮮語を民族語とする民族は、同じく「朝鮮人」）、それら二つの変種は、個人的判断では方言関係であると考えている。寧ろ、在日朝鮮人の話す「在日朝鮮語」のほうが、半島内の差異よりも、語彙、音韻、統語の面などで、変種として懸け離れているのではないかと思う。韓国人の同僚からも、「日本の車内アナウンスで聞いた朝鮮語が、日本訛りだった」との旨の話を聞かされたことがある。

*【11】朝鮮語に関しては、エスノローグで、一〇段階の言語状況評価でレベル5亜種の「分散【Dispersed】」とされている。これは、本国（この場合は韓国、北朝鮮）で十分に発達している言語で、外国（この場合は日本）のコミュニティは標準的な言語形式の情報にもアクセス可能なんだけど、当地（日本）で教育制度がちゃんとあるわけではなく、推進もされていない状況だという。レベル5は、一般には「発達中【Developing】」の言語が該当し、活発に使用され、標準化された言語形式もあるのだが、普及しているとも持続可能だとも言い切れない水準の活性度に相当する。

*【12】例えば曾て網走などに話者がいたと記録にあるウイルタ語（ツングース語族）は、もう国内話者がいないのだろうか。

あとがき

生まれて初めて「あとがき」というものを書いてみる。

まずは謝辞から入るのがそこそこの常っぽいので、そうしよう。この本を手に取って下さった皆さん、ありがとうございます。

ご覧いただいた通り、本書は平たいものから小難しいものまで、つらつらと言語に関連して考えたエッセイを集めたものとなっている。書いた時期によって、個人的感覚としては、さらっとしたものもあれば、ごてっとしたものもある。そんな繽紛とした精神の斑模様を言い訳しようかと目論んだわけではないのだが、各節の終わりに、執筆日を日記のように記すこととした。これが吉と出るか凶と出るか、それとも何も出ないかは分からない。

さて、但し、これだけの紙幅で、話が四方八方へと脱線する僕が読者の皆さんを順繰りにステップアップさせていって、言語学のゲの字も知らないところから、親切に門前までの道案内をするフリをして、こっそりと開きっ放しの扉を潜らせつつ、騙し討ちのようにして

「言語学へようこそ！　もう逃がさないぞ☆」などとするのには無理があったなぁと、しみじみ思っている。そんな巧言令色に人を誘導したりだなんて、気弱で筆下手な僕には及びもつかない荒業（あらわざ）であって、注文の多い料理店の鮮やかな手管（てくだ）は、逆立ちしても真似できない。

とは言え、言語学の要素を盛り込みつつ、身近な事例を持ち出して、言語はどう眺めても良いんだぞ、といった話をした心算（つもり）である。本書を読むことによって、言語学や言語そのものに関心を持ったり高めたりした方が僅かでもあったら幸せる。おっと山口の方言が出てしまった。もとい、幸いである。

敷地に入ってから玄関までの道を、アプローチ（導入路）と言う。それに擬（なぞら）えると、言語学の話は、どうしてもネタが面白みに到るまでのアプローチが長くなりがちなのが難点である。これが例えば物体なら、はい可愛い猫、はい美しい猫、はいお間抜けな猫、みんな違ってみんな良い、とあっさり魅力が分かるものだ。赤い石と青い石と黒い石も、見ただけで違うことが分かるし、どう違うかも分かる。けれども言語は、違うことは分かっても、その言語を知らなければどう違うかが分からない難しさがあるだろう。そうなると、解説が必要になる。ネタ披露は、解説しつつボケることになる。芸人泣かせが過ぎるではないか。

とまぁ手を変え品を変え読者諸氏が感じたかも知れない物足りなさの言い訳をしたが、取り敢えずバラつきはあれども種はしこたま蒔いたと思う。後は閭門（りょもん）に倚（よ）っては皆々様方の訪れを待ち侘び、あるいはアプローチへ歩を進めた者を後方面（づら）で送り出すばかりである。

前著（『現地嫌いなフィールド言語学者、かく語りき。』、創元社、二〇一九年）がフィールド言語学のフィールド部分にスポットライトを当てたものだとするならば、本書は言語学部分に照明を浴びせ掛けているものだと言えよう。

フィールド言語学をする者として、院生時代の初フィールド（二〇〇四年一一月）から数えればそろそろ一七年もの光陰が流れ去っていて、愕然とする。そしてそのため、平均して年に一回くらいのサイクルでフィールド調査に行くというのが、生活様式として骨身や精神に染み付いていた。

そんな中で、二〇二〇年以降の新型コロナウイルス（SARS-CoV-2）蔓延により、世界的にヒトの移動が止まり、国内に、地域内に、家庭内にと、「巣ごもり」することとなった。当然のことながらフィールド調査にも行けない。特に、消滅の危機に瀕している言語なんて老人ばかりが話すのだから、この災厄ほど獰猛（どうもう）な恐怖はない。何かあっては事だ。事があってはならない。

そうして大人しく巣ごもりをすることとなり、自分の意志とは無関係にフィールドから遠避けられてしまって、当初は俎上の鯉の如くにただ閉口したり啞然としたりした。それでも言語学鰓（えら）から酸素を取り込まねばと、野辺の草で口過ぎとするみたく、手近であれこれ料理してみた、という次第である。

言語学者だからと言って、四六時中、ずーっと言語のことばかりを考えている人ばかりではない。日常生活と言語学生活とを切り分けている人もいて、僕もそっち派だ。普段から全部の言葉トークンを理窟捏(こ)ね捏ね睨んでいるわけではないので、厄介もっかいな危険人物扱いしないで欲しい。

けど、それとは別に、博物館所属の言語研究者という職業柄、言葉に関する大小のネタに日頃から眼を光らせている。そして、使える機会がありそうでもなさそうでも、見付け次第、書き留めるのを癖にしている。本書でも、その取って置きを引っ張り出してきたネタが幾つかある。蔵が払底(ふってい)しそうで、ちょっと明日からは躍起になってネタ集めをしないと、今後のトークのクオリティが暴落するかも知れない。だけど、見付けようとして見付けたネタってのは、勿怪で見付けたネタよりも一枚落ちがちなのだから悩ましいよねぇ。

さて、折々に、日本語っぽいんだけど、耳目に馴染みのない語句が鏤(ちりば)められていると感じた方もあったかも知れない。注釈を付けているものもあれば、敢えて付けていないものもある。なので、もしも、日本語であるにも拘らず奇妙に思えた表現に出食わしたら、是非ともググってみて欲しい。例えば、「後方面(づら)」って何だろう、とかだ。そして序(つい)でに、そのググった先からもう一歩、言葉だろうが何だろうがどの方向へでも良いから、調べ進めてみて欲しい。

調べものは億劫だろうと思う。けれども、インターネットと通信機器の発展によって、一昔前と比較したら格段に手軽になった。そして調べものをサボらないことで、知識は体系的に広がり得るのである。調べ癖は万人に有益だ。従って、この情報の出しかたは敢えてそうしたのであって、別に注釈を手抜きしたわけじゃないんだから、勘違いとかしないで欲しいし。徒為な衒いとかでもないし。

言語学者以外の母語話者は、母語ならば自分は全てを理解しているなどと思いがちだ。だが実際には、誰であれ、どんな言語であれ、一つの言語を知悉しているだなんて言えやしないものである。誰だって母語に伸び代を持っている。その事実を体感するよすがにと、苦渋の決断で本書にはそんな不便さを残してみた。こうやってメタ的に言語学界隈の訴えたいことを盛り込んじゃって、憎い一冊である。全く、不評で白け散らかしたらどうする心算なんだか。謝っておくか。ただ読みづらいだけだったなら、ご免なさい。申し訳はあるが。

最後に、忘れずに創元社の内貴麻美さんに、改めてこの場を借りて、篤く御礼申し上げたいと思う。ぐうたらしていて腰の重い僕が、更には時々の多忙を言い訳に〆切も延ばしに延ばしていただいた結果、当初のご希望を半年以上も過ぎた出版への漕ぎ着けとなってしまいまして、いやはや、ホント済みません。ありがとうございます。

二〇二一年四月吉日

著者

言語解説

言語名 Language name（言語系統—主な使用地域）

ア

◆**アイスランド語** Icelandic（インド・ヨーロッパ語族 ゲルマン語派—アイスランド）

◆**アイヌ語** Ainu（系統的孤立語—北海道）

◆**アイルランド語** Irish（インド・ヨーロッパ語族 ケルト語派—アイルランド）

◆**アヴェスター語** Avestan（インド・ヨーロッパ語族 イラン語派—西アジア—†死語）

◆**アカン語** Akan（ニジェール・コンゴ語族 大西洋・コンゴ語派—ガーナ）

◆**アッシリア現代アラム語** Assyrian Neo-Aramaic（アフロ・アジア語族 セム語派—イラク、イラン、シリア）

◆**アフリカーンス語** Afrikaans（インド・ヨーロッパ語族 ゲルマン語派—南アフリカ）

◆**アムハラ語** Amharic（アフロ・アジア語族 セム語派—エチオピア）

◆**アラビア語** Arabic（アフロ・アジア語族 セム語派—北アフリカ、中東）

◆**アラム語** Aramaic（アフロ・アジア語族 セ メソポタミア—†死語）

◆**アルバニア語** Albanian（インド・ヨーロッパ語族 アルバニア語派—アルバニア）

◆**アルメニア語** Armenian（インド・ヨーロッパ語族 アルメニア語派—アルメニア）

◆**イタリア語** Italian（インド・ヨーロッパ語族 ロマンス語派—イタリア）

◆**イディッシュ語** Yiddish（インド・ヨーロッパ語族 ゲルマン語派—ヨーロッパ、北米）

◆**イボ語** Igbo（ニジェール・コンゴ語族 大西洋・コンゴ語派—ナイジェリア）

◆**インドネシア語** Indonesian（オーストロネシア語族 スンダ・スラウェシ語派—インドネシア）

◆**ヴィラモヴィアン語** Vilamovian（インド・ヨーロッパ語族 ゲルマン語派—ポーランド（シロンスク県））

◆**ウイルタ語** Uilta（ツングース語族 南ツングース語派—ロシア（サハリン州））

◆**ウェールズ語** Welsh（インド・ヨーロッパ語族 ケルト語派—イギリス（ウェールズ地方））

◆**ウクライナ語** Ukrainian（インド・ヨーロッパ語族 スラヴ語派—ウクライナ）

◆**ウルドゥー語** Urdu（インド・ヨーロッパ語族 インド語派—パキスタン、インド）

◆**英語** English（インド・ヨーロッパ語族 ゲルマン語派—イギリス、アメリカ合衆国、オーストラリア）

◆**エストニア語**　Estonian（ウラル語族 フィン・ウゴル語派―エストニア）

◆**粤語**　Yue（シナ・チベット語族 シナ語派―中国（広東省））

◆**エルヴダーレン語**　Elfdalian（インド・ヨーロッパ語族 ゲルマン語派―スウェーデン（ダーラナ県））

◆**小笠原語**　Bonin（日本語×英語・混合言語―東京都小笠原諸島）

◆**小笠原クレオロイド英語**　Bonin Creoloid English（英語ベース・クレオロイド―東京都小笠原諸島）

◆**沖永良部語**　Okinoerabu（日琉語族 琉球語派―鹿児島県沖永良部島）

◆**オック語**　Occitan（インド・ヨーロッパ語族 ロマンス語派―フランス南部）

◆**オランダ語**　Dutch（インド・ヨーロッパ語族 ゲルマン語派―オランダ）

カ

◆**カシミーリー語**　Kashmiri（インド・ヨーロッパ語族 インド語派―インド、パキスタン）

◆**カタルーニャ語**　Catalan（インド・ヨーロッパ語族 ロマンス語派―スペイン、アンドラ）

◆**カティ語**　Kati（インド・ヨーロッパ語族 ヌーリスタン語派―アフガニスタン（ヌーリスタン州））

◆**カラーシャ語**　Kalasha（インド・ヨーロッパ語族 インド語派―パキスタン（ハイバル・パフトゥンフワー州））

◆**ガリア語**　Gaulish（インド・ヨーロッパ語族 ケルト語派―西中欧（ガリア地域）―†死語）

◆**ガリシア語**　Galician（インド・ヨーロッパ語族 ロマンス語派―スペイン（ガリシア州））

◆**ガルワーリー語**　Garhwali（インド・ヨーロッパ語族 インド語派―インド（ウッタラーカンド州））

◆**喜界語**　Kikai（日琉語族 琉球語派―鹿児島県喜界島）

◆**北奄美大島語**　Northern Amami Oshima（日琉語族 琉球語派―鹿児島県奄美大島北部）

◆**キルギス語**　Kyrgyz（チュルク語族 キプチャク語派―キルギス）

◆**キンブリ語**　Cimbrian（インド・ヨーロッパ語族 ゲルマン語派―イタリア北東部）

◆**クチャ語**　Kucha（インド・ヨーロッパ語族 トカラ語派―中央アジア（亀茲国）―†死語）

◆**グジャラーティー語**　Gujarati（インド・ヨーロッパ語族 インド語派―インド（グジャラート州））

◆**国頭語**　Kunigami（日琉語族 琉球語派―沖縄島北部）

◆**クルド語**　Kurdish（インド・ヨーロッパ語族 イラン語派―トルコ、イラク、イラン）

◆**クロアチア語**　Croatian（インド・ヨーロッパ語族 スラヴ語派―クロアチア）

◆**現代ギリシア語**　Modern Greek（インド・ヨーロッパ語族 ヘレーン語派―ギリシア）

◆**呉語**　Wu（シナ・チベット語族 シナ語派―中国（上海

市、浙江省））

◆**古アイルランド語**　Old Irish　（インド・ヨーロッパ語族 ケルト語派―アイルランド―†死語）

◆**コサ語**　Xhosa　（ニジェール・コンゴ語族 大西洋・コンゴ語派―南アフリカ）

◆**古代教会スラヴ語**　Old Church Slavonic　（インド・ヨーロッパ語族 スラヴ語派―東欧―†死語）

◆**古代マケドニア語**　Ancient Macedonian　（インド・ヨーロッパ語族 ヘレーン語派―マケドニア王国―†死語）

◆**ゴットランド語**　Gutnish　（インド・ヨーロッパ語族 ゲルマン語派―スウェーデン（ゴットランド島））

◆**古典アルメニア語**　Classical Armenian　（インド・ヨーロッパ語族 アルメニア語派―アルメニア高原―†死語）

◆**古典ギリシア語**　Ancient Greek　（インド・ヨーロッパ語族 ヘレーン語派―ギリシア、エーゲ海―†死語）

◆**古ノルド語**　Old Norse　（インド・ヨーロッパ語族 ゲルマン語派―スカンディナヴィア半島―†死語）

◆**古プロシア語**　Old Prussian　（インド・ヨーロッパ語族 バルト語派―プロイセン公国―†死語）

◆**コワール語**　Khowar　（インド・ヨーロッパ語族 インド語派―パキスタン北部）

◆**コーンウォール語**　Cornish　（インド・ヨーロッパ語族 ケルト語派―イギリス（コーンウォール州））

サ

◆**ザザキ語**　Zazaki　（インド・ヨーロッパ語族 イラン語派―トルコ東部）

◆**サンスクリット語**　Sanskrit　（インド・ヨーロッパ語族 インド語派―南アジア―†死語）

◆**シチリア語**　Sicilian　（インド・ヨーロッパ語族 ロマンス語派―イタリア（シチリア島、南部））

◆**シナー語**　Shina　（インド・ヨーロッパ語族 インド語派―パキスタン北部）

◆**下ソルブ語**　Lower Sorbian　（インド・ヨーロッパ語族 スラヴ語派―ドイツ（ブランデンブルク州））

◆**シュグニー語**　Shughni　（インド・ヨーロッパ語族 イラン語派―タジキスタン、アフガニスタン）

◆**ジュラ語**　Dyula　（ニジェール・コンゴ語族 マンデ語派―ブルキナファソ、コートジボワール、マリ）

◆**シンハラ語**　Sinhala　（インド・ヨーロッパ語族 インド語派―スリランカ）

◆**スウェーデン語**　Swedish　（インド・ヨーロッパ語族 ゲルマン語派―スウェーデン、フィンランド）

◆**スコットランド語**　Scots　（インド・ヨーロッパ語族 ゲルマン語派―イギリス、アイルランド）

◆**スドヴィア語**　Sudovian　（インド・ヨーロッパ語族 バルト語派―リトアニア―†死語）

◆**スペイン語**　Spanish　（インド・ヨーロッパ語族 ロマンス語派―スペイン、南米、北米南部）

◆**スワヒリ語**　Swahili　（ニジェール・コンゴ語族 大西洋・コンゴ語派―東アフリカ）

◆**セルビア語** Serbian（インド・ヨーロッパ語族 スラヴ語派―セルビア、モンテネグロ）

タ

◆**タイ語** Thai（クラ・ダイ語族 カム・タイ語派―タイ、カンボジア）

◆**タガログ語** Tagalog（オーストロネシア語族 フィリピン語派―フィリピン）

◆**タジク語** Tajik（インド・ヨーロッパ語族 イラン語派―タジキスタン、ウズベキスタン）

◆**タミル語** Tamil（ドラヴィダ語族 南ドラヴィダ語派―インド（タミル・ナードゥ州）、スリランカ、シンガポール）

◆**ダリー語** Dari（インド・ヨーロッパ語族 イラン語派―アフガニスタン）

◆**チェコ語** Czech（インド・ヨーロッパ語族 スラヴ語派―チェコ）

◆**中央沖縄語** Okinawan（日琉語族 琉球語派―沖縄県沖縄本島中南部）

◆**中国語** Chinese（シナ・チベット語族 シナ語派―中国、台湾、シンガポール）

◆**中古中国語** Middle Chinese（シナ・チベット語族 シナ語派―中国―†死語）

◆**朝鮮語** Korean（朝鮮語族―韓国、北朝鮮、中国）

◆**低地ドイツ語** Low German（インド・ヨーロッパ語族 ゲルマン語派―ドイツ北部）

◆**テルグ語** Telugu（ドラヴィダ語族 中南ドラヴィダ語派―インド（アーンドラ・プラデーシ州））

◆**デンマーク語** Danish（インド・ヨーロッパ語族 ゲルマン語派―デンマーク）

◆**ドイツ語** German（インド・ヨーロッパ語族 ゲルマン語派―ドイツ、オーストリア、リヒテンシュタイン、スイス）

◆**徳之島語** Tokunoshima（日琉語族 琉球語派―鹿児島県徳之島）

◆**ドマーキ語** Domaaki（インド・ヨーロッパ語族 インド語派―パキスタン（ギルギット・バルティスタン州））

◆**ドマリ語** Domari（インド・ヨーロッパ語族 インド語派―中東、北アフリカ）

◆**トルコ語** Turkish（チュルク語族 オグズ語派―トルコ、キプロス、北キプロス、ブルガリア）

◆**トンガ語** Tongan（オーストロネシア語族 オセアニア語派―トンガ）

ナ

◆**ニヴフ語** Nivkh（系統的孤立語―ロシア（サハリン州、ハバロフスク地方））

◆**西フリジア語** West Frisian（インド・ヨーロッパ語族 ゲルマン語派―オランダ（フリースラント州））

◆**日本語** Japanese（日琉語族 日本語派―日本）

◆**日本手話** Japanese Sign（日本手話語族―日本）
◆**ネパール語** Nepali（インド・ヨーロッパ語族 インド語派―ネパール）
◆**ノリクム語** Noric（インド・ヨーロッパ語族 ケルト語派―ローマ帝国（ノリクム属州）―†死語）
◆**ノルウェー語** Norwegian（インド・ヨーロッパ語族 ゲルマン語派―ノルウェー）

ハ

◆**パシュトー語** Pashto（インド・ヨーロッパ語族 イラン語派―アフガニスタン、パキスタン）
◆**バスク語** Basque（系統的孤立語―スペイン北部、フランス南西部）
◆**パフラヴィー語** Pahlavi（インド・ヨーロッパ語族 イラン語派―西アジア―†死語）
◆**パーリ語** Pali（インド・ヨーロッパ語族 インド語派―南アジア、東南アジア―†死語）
◆**パールーラー語** Palula（インド・ヨーロッパ語族 インド語派―パキスタン（ハイバル・パフトゥンフワー州））
◆**バローチー語** Balochi（インド・ヨーロッパ語族 イラン語派―パキスタン西部、イラン東部）
◆**ハンガリー語** Hungarian（ウラル語族 フィン・ウゴル語派―ハンガリー）
◆**パンジャービー語** Panjabi（インド・ヨーロッパ語族 インド語派―インド西部、パキスタン東部）
◆**ハワイ語** Hawaiian（オーストロネシア語族 オセアニア語派―アメリカ合衆国（ハワイ州））
◆**ヒッタイト語** Hittite（インド・ヨーロッパ語族 アナトリア語派―西アジア（ヒッタイト帝国）―†死語）
◆**ビルマ語** Burmese（シナ・チベット語族 チベット・ビルマ語派―ミャンマー）
◆**ヒンディー語** Hindi（インド・ヨーロッパ語族 インド語派―インド、フィジー）
◆**閩南語** Southern Min（シナ・チベット語族 シナ語派―中国（福建省））
◆**フィンランド語** Finnish（ウラル語族 フィン・ウゴル語派―フィンランド）
◆**フェロー語** Faroese（インド・ヨーロッパ語族 ゲルマン語派―デンマーク（フェロー諸島））
◆**ブラジル・ポルトガル語** Brazilian Portuguese（インド・ヨーロッパ語族 ロマンス語派―ブラジル）
◆**フランス語** French（インド・ヨーロッパ語族 ロマンス語派―フランス、ベルギー、西アフリカ、カナダ）
◆**フリウーリ語** Friulian（インド・ヨーロッパ語族 ロマンス語派―イタリア（フリウーリ地方））
◆**ブルガリア語** Bulgarian（インド・ヨーロッパ語族 スラヴ語派―ブルガリア）
◆**ブルシャスキー語** Burushaski（系統的孤立語―パキスタン（ギルギット・バルティスタン州））
◆**ブルトン語** Breton（インド・ヨーロッパ語族 ケルト語派―フランス北西部）

◆**ベア語**　Bea（大アンダマン語族―インド（南アンダマン島）―†死語）

◆**ベトナム語**　Vietnamese（オーストロアジア語族　ベト・ムオン語派―ベトナム）

◆**ヘブライ語**　Hebrew（アフロ・アジア語族　セム語派―イスラエル）

◆**ペルシア語**　Persian（インド・ヨーロッパ語族　イラン語派―イラン）

◆**ベンガル語**　Bengali（インド・ヨーロッパ語族　インド語派―バングラデシュ、インド）

◆**ポーランド語**　Polish（インド・ヨーロッパ語族　スラヴ語派―ポーランド）

◆**ポルトガル語**　Portuguese（インド・ヨーロッパ語族　ロマンス語派―ポルトガル、アンゴラ、モザンビーク）

マ

◆**マオリ語**　Maori（オーストロネシア語族　オセアニア語派―ニュージーランド）

◆**マケドニア語**　Macedonian（インド・ヨーロッパ語族　スラヴ語派―北マケドニア）

◆**マサイ語**　Maasai（ナイロ・サハラ語族　ナイル語派―ケニア南部、タンザニア北部）

◆**マラーティー語**　Marathi（インド・ヨーロッパ語族　インド語派―インド（マハーラーシュトラ州））

◆**マレー語**　Malay（オーストロネシア語族　スンダ・スラウェシ語派―マレーシア、シンガポール）

◆**南奄美大島語**　Southern Amami Oshima（日琉語族　琉球語派―鹿児島県奄美大島南部）

◆**宮窪手話**　Miyakubo Sign（系統的孤立語―愛媛県今治市大島）

◆**宮古語**　Miyako（日琉語族　琉球語派―沖縄県宮古諸島）

◆**モンゴル語**　Mongolian（モンゴル語族―モンゴル、中国、ロシア）

ヤ

◆**八重山語**　Yaeyama（日琉語族　琉球語派―沖縄県八重山諸島）

◆**ヤグア語**　Yagua（ペバ・ヤグア語族―ペルー北東部、コロンビア南部）

◆**ヤグノビ語**　Yaghnobi（インド・ヨーロッパ語族　イラン語派―タジキスタン（ソグド州））

◆**与那国語**　Yonaguni（日琉語族　琉球語派―沖縄県与那国島）

◆**ヨルバ語**　Yoruba（ニジェール・コンゴ語族　大西洋・コンゴ語派―ナイジェリア、ベナン、トーゴ）

◆**与論語**　Yoron（日琉語族　琉球語派―鹿児島県与論島）

ラ

◆**ラーオ語**　Lao（クラ・ダイ語族　カム・タイ語派―ラ

オス）

◆**ラテン語**　Latin（インド・ヨーロッパ語族 ロマンス語派―イタリア半島―†死語）

◆**ラトヴィア語**　Latvian（インド・ヨーロッパ語族 バルト語派―ラトヴィア）

◆**リトアニア語**　Lithuanian（インド・ヨーロッパ語族 バルト語派―リトアニア）

◆**リンブー語**　Limbu（シナ・チベット語族 チベット・ビルマ語派―ネパール）

◆**リンブルフ語**　Limburghish（インド・ヨーロッパ語族 ゲルマン語派―オランダ、ベルギー、ドイツ）

◆**ルクセンブルク語**　Luxembourgish（インド・ヨーロッパ語族 ゲルマン語派―ルクセンブルク）

◆**ルーマニア語**　Romanian（インド・ヨーロッパ語族 ロマンス語派―ルーマニア、モルドヴァ）

◆**ロシア語**　Russian（インド・ヨーロッパ語族 スラヴ語派―ロシア、北アジア、中央アジア、カフカース）

◆**ロマヴレン語**　Lomavren（インド・ヨーロッパ語族 インド語派―アルメニア）

◆**ロマニ語**　Romani（インド・ヨーロッパ語族 インド語派―ヨーロッパ）

ワ

◆**ワイガリ語**　Waigali（インド・ヨーロッパ語族 ヌーリスタン語派―アフガニスタン）

◆**ワヒー語**　Wakhi（インド・ヨーロッパ語族 イラン語派―アフガニスタン、パキスタン、タジキスタン）

参考文献

◆伊豆山敦子(2002)「琉球の視点」, 大西拓一郎(編)『方言文法調査ガイドブック』, 207-224, 科研費報告書(https://www2.ninjal.ac.jp/takoni/DGG/DGG_index.htm).

◆風間喜代三(1987)『ことばの生活誌:インド・ヨーロッパ文化の原像へ』, 東京:平凡社.

◆風間伸次郎・山田怜央(編著)(2021)『28言語で読む「星の王子さま」:世界の言語を学ぶための言語学入門』, 東京:東京外国語大学出版会.

◆新村出(1942)『言葉の歴史』, 大阪:創元社.

◆鈴木亮子(2021)「新表現の創発:新しくない中にめっちゃ新しさ見えてるアピール」, 中山俊秀・大谷直輝(編)『認知言語学と談話機能言語学の有機的接点:用法基盤モデルに基づく新展開』, 183-207, 東京:ひつじ書房.

◆高橋靖以(2014)「アイヌ」, 山田仁史・永山ゆかり・藤原潤子(編)『水・雪・氷のフォークロア:北の人々の伝承世界』, 5-25, 東京:勉誠出版.

◆ダニエル・ロング(2018)『小笠原諸島の混合言語の歴史と構造:日本元来の多文化共生社会で起きた言語接触』, 東京:ひつじ書房.

◆寺田寅彦(1921)「私のは昼寝文学です」,『読売新聞』大正10年10月27日. (再録:寺田寅彦(1998)『寺田寅彦全集』第16巻, 165-167.)

◆戸川幸夫(2015)『イリオモテヤマネコ:"生きた化石動物"の謎』, 沖縄:琉球新報社.

◆中川裕(1995)『アイヌ語をフィールドワークする』, 東京:大修館書店.

◆橋本陽介(2020)『「文」とは何か:愉しい日本語文法のはなし』(光文社新書), 光文社.

◆山田真寛(2016)「ドゥナン(与那国)語の動詞形態論」, 田窪行則, ジョン・ホイットマン, 平子達也(編)『琉球諸語と古代日本語:日琉祖語の再建にむけて』, 259-289, 東京:くろしお出版.

◆吉岡乾(2019)『現地嫌いなフィールド言語学者、かく語りき。』, 大阪:創元社.

◆Awde, Nicholas and Asmatullah Sarwan (2002) *Pashto Dictionary & Phrasebook*. New York: Hippocrene Books.

◆Dryer, Matthew S. and Martin Haspelmath (eds.) (2013) *The World Atlas of Language Structures*. Leipzig: Max Planck Institute for Evolutionary Anthropology. オンライン版:http://wals.info[2021年3月1日アクセス].

◆Eberhard, David M., Gary F. Simons, and Charles D. Fennig (eds.) (2021) *Ethnologue: Languages of the World*. 24th edition. Dallas, Texas: SIL

International. オンライン版：http://www.ethnologue.com[2021年3月1日アクセス].
◆ Gilbert, Stephen G. (1975) *Pictorial Anatomy of the Cat*. Revised Edition. Seattle and London: University of Washington Press.
◆ Gray, Henry (1918) *Anatomy of the Human Body*. Philadelphia: Lea & Febiger.
◆ Haeckel, Ernst (1866) *Generelle Morphologie der Organismen: kritische Grundzüge der mechanischen Wissenscheft von den entstehenden Formen der Organismen. Zweiter Band: Allgemeine Entwicklungsgeschichte der Organismen*. Berlin: Verlag von Georg Reimer.
◆ Kiefer, Ferenc (1988) Linguistic, Conceptual and Encyclopedic Knowledge: Some Implications for Lexicography. In T. Magay and J. Zigány (eds.), *Proceedings of the 3rd EURALEX International Congress*. 1–10. Budapest: Akadémiai Kiadó.
◆ Koptjevskaja-Tamm, Maria (2013) Action Nominal Constructions. In Dryer, Matthew S. and Martin Haspelmath (eds.) *The World Atlas of Language Structures*. オンライン版：http://wals.info/chapter/62[2021年3月1日アクセス].
◆ Martin, Samuel E. (1975) *A Reference Grammar of Japanese*. New Haven: Yale University Press.
◆ Morrison, Stacey (2019) *My First Words in Māori*. Auckland: Penguin Random House New Zealand.
◆ OUP Southern Africa (2007) *Oxford First Bilingual Dictionary: IsiXhosa & English*. Cape Town: Oxford University Press.
◆ Parnwell, E.C. (2008) *Oxford Picture Dictionary: English-Pashto*. Niaz Muhammad Aajiz (trsl.). Karachi: Oxford University Press.
◆ Payne, Doris Lander (1985) Aspects of the Grammar of Yagua: A Typological Perspective. A Part of Ph.D. thesis, University of California, LA. https://www.academia.edu/12286374/ [2020年11月10日アクセス].
◆ Pellard, Thomas (2009) Ōgami — Éléments de description d'un parler du Sud des Ryūkyū. Ph.D. thesis, École des hautes études en sciences sociales.
◆ Shimoji, Michinori (2017) *A Grammar of Irabu: A Southern Ryukyuan Language*. Fukuoka: Kyushu University Press.
◆ Zamponi, Raoul and Bernard Comrie (2020) *A Grammar of Akabea*. Oxford: Oxford University Press.

吉岡乾

よしおか・のぼる

国立民族学博物館准教授。
専門は記述言語学。博士（学術）。
1979年12月、千葉県船橋市生まれ。
2012年5月、東京外国語大学大学院博士課程単位取得退学。
同9月に博士号取得。
2014年より、現職。
2003年よりブルシャスキー語の研究を開始し、
その後、パキスタン北西部からインド北西部に亙る地域で、
合わせて7つほどの言語を、記述的に調査・研究している。
著書に『なくなりそうな世界のことば』
『現地嫌いなフィールド言語学者、かく語りき。』
（ともに創元社）。

フィールド言語学者、巣ごもる。

2021年 6 月20日　第 1 版第 1 刷発行
2022年 3 月10日　第 1 版第 4 刷発行

著者／吉岡乾

発行者／矢部敬一
発行所／株式会社 創元社
〈本社〉〒541-0047
大阪市中央区淡路町 4-3-6
電話（06）6231-9010㈹
〈東京支店〉〒101-0051
東京都千代田区神田神保町 1-2 田辺ビル
電話（03）6811-0662㈹
〈ホームページ〉https://www.sogensha.co.jp/

装画・挿絵　朝野ペコ
ブックデザイン　鈴木千佳子
印刷　亜細亜印刷

　ISBN978-4-422-39005-5 C0080

本書の感想をお寄せください
投稿フォームはこちらから